tsuki to kani

月と蟹

道尾秀介

文藝春秋

月と蟹　もくじ

写真　仁礼博
装幀　関口聖司

月と蟹

第一章

（一）

「カニは食ってもガニ食うなってな、昔っから言うんだ」

「何それ」

祖父の昭三《しょうぞう》に訊き返しながら、慎一《しんいち》は鰺《あじ》のなめろうを箸でつまんでご飯に載せた。なめろうはこうして白いご飯といっしょに食べるのが一番美味い。そう教えてくれたのは昭三だったが、当の本人は食事のときに酒を飲むので米を食べない。いつも箸の先で皿をこするようにして、なめろうの隅のほうをちょっと取り、長いことかけて口の中で味わってから、湯呑みの日本酒をすする。

「カニは食ってもいいけど、ガニは食っちゃいけねえんだ」

「だから、何。ガニって何」

慎一の苛立った声に、昭三は座卓の向こうで半白の眉を寄せた。

「なんだお前、反抗期か」

「祖父《じい》ちゃんがちゃんと喋らないからだろ。おんなじこと二回も言うから」

「カニは食っていいけどもガニは食っちゃいけねえ。三回だ」

ハンガーにシャツが掛かっているような、痩せた肩を揺すって昭三は笑う。嬉しそうに孫の反応を待っている。慎一は鼻の奥に熱いものが込み上げるのを感じた。

「何でそうやって馬鹿にすんだよ、いつも」

抑えたつもりが途中から強い声になった。昭三の目が、知らない子供を見るようなものに変わった。

昭三がからかって、慎一が笑いながら言い返す。それがいつもの夕食の風景で、慎一も、たぶん昭三も、その時間が好きだった。祖父に申し訳ない気がしながらも、しかし慎一はどうしても笑うことができなかった。今日ばかりは難しい。

「慎ちゃん、何よ、どうしたの」

母の純江《すみえ》が菜箸を持ったまま、お勝手から居間に入ってきた。

お前のせいだ、という言葉が振り向きざま咽喉《のど》から飛び出しそうになったが、やっと抑えて舌打ちをした。

「――べつに」

「お祖父ちゃんに向かって大きな声出して」

「構わねえよ、純江さん。慎一だって虫の居所が悪《わり》いときがあんだろ」

頷いたような頷かないような、中途半端な仕草をして、純江はお勝手に引っ込んだ。途切れていたフライパンをゆする音がまた聞こえはじめる。

「ガニってのはな、この黒いとこだよ。このほれ、腹についてるバナナみてえな。毒があんだ」

「いいよ、もう」

慎一が目も上げずに言うと、昭三は笑いの混じった息を洩らし、持っていた蟹の殻をガラ入れのボールに放り込んだ。濡れたマッチ棒を突き立てたような、一つきりの目が、ぎょろりと慎一のほうを見た。こうして半身に叩き割った蟹を、純江は味噌汁にしてよく出す。すぐそばの港で揚がった蟹のうち、こうした掌《てのひら》ほどの小ぶりのやつは安値でスーパーに卸《おろ》され、それを買ってくるのだ。

「その傷と関係あんのかよ、不機嫌は」

慎一の首の右側にある擦り傷を、昭三は顎で示した。

ある——ことはある。しかしそれは、おそらく昭三が思っているようなかたちではない。どうとも答えられず慎一は黙っていた。つけっぱなしのテレビで六時のニュースがはじまり、昨日東京ドームで行われたらしい、美空ひばりの復活コンサートの様子が映っている。

「お前、東京にいたとき、ここ行ったか？」

昭三が箸の先を画面に向けた。

「後楽園球場なら行った」

「政直《まさなお》とか？」

一年前に死んだ父の名前を出すとき、昭三はまったくためらいがない。いつもこうしてさらりと口にする。慎一には、まだそれができなかった。父の話をするたびに、何か感情の薄膜を破るような思い切りが必要だった。

「そう」

「野球見にか」

「そう」

「どこの試合だ」

「巨人戦」

「そんなお前、当たり前だろ、後楽園球場なんだから」

「後楽園でも他の球団同士がやることだってあるよ」

「何で」

「あるもんはあるんだよ」

ふうんと昭三は鼻息で頷いた。湯呑みの酒をすすり、耳の下をぐりぐり動かしながら口の中のものを嚙む。

鎌倉市にほど近いこの海辺の町で慎一が暮らしはじめたのは二年前、小学三年生の夏だった。父の政直が働いていた東京の商事会社が倒産し、収入が途絶えた上に社宅を出なければならなくなったのだ。折しもそれは政直が、都会の空気や満員電車や無関心に厭気《いやけ》がさしていた時期だったらしく、いっそ東京を出ようということで、この町へ引っ越すことが決まった。脚の悪い昭三の独り暮らしを、政直がかねてから心配していたことも、同居を選んだ理由の一つだったようだ。

第一章

白い襞《ひだ》を連ねて光る海を眺めながら、前日に教えてもらったとおりの道をたどり、息苦しいような、しかし胸が浮き上がるような気分で登校した慎一を、海辺のクラスメイトたちはあまり温かく迎えてはくれなかった。気恥ずかしさもあったのだろうが、一番の理由は、つい一ヶ月ほど前に発売されていたゲームソフトのせいだ。クラスの男子生徒たちは口をひらけばそのゲームの話をした。休み時間も放課後もごっこ遊びで盛り上がり、たまに別の遊びがはじまりそうになっても、きっと誰かが「呪文」や「モンスター」のことを口にして、いつのまにかまたみんなゲームの話に戻っていく。慎一はそのソフトがどんなものなのかをよく知らなかったし、そもそもゲーム機を持っていなかった。

本当は、五月の誕生日に買ってもらうはずだったのだ。しかし、その誕生日の直前に政直の会社が倒産した。父も母も、プレゼントのことを忘れてしまったらしく、慎一も忘れたふりをしていた。

あれから二年が経ち、いまだに慎一はゲーム機を持っておらず、クラスメイトたちとも上手くやれていない。どこか近くに建てるはずだった新築の家の話も、政直が死んだことで立ち消えになり、三軒並んだ借家の一番奥に、純江と昭三と三人で暮らしている。

「純江さんも、こっち座って食いなよ、せわしねえ」

喉仏《のどぼとけ》の浮いた首を伸ばし、昭三がお勝手に声を飛ばす。純江は、いまこれを何々、みたいなことを言いながらフライパンをゆすりつづけている。何と言ったのだか昭三にも聞き取れなかったはずだが、祖父は訊き直さず、なめろうの皿に箸を伸ばした。

「昼間さんざ仕事して、疲れてるだろうによ」

純江は近くの漁協で事務員をやっている。政直が死んでから勤めはじめ、月曜日から土曜日まで働いている。パート扱いなので給料はあまり高くないが、その純江の収入と昭三の年金、そして十年前に船会社から振り込まれた保険金で、家計はなんとかやりくりされていた。

「仕事だけじゃないかもよ」

思わず言葉が洩れた。そのことに自分で驚いて視線を上げると、昭三と目が合った。

「何だそれ」

「べつに」

慌てて目を伏せる。幸い昭三は大して気に留めなかったらしく、小さく笑ってテレビに顔を向けた。

「あれもこれも、べつにかよ」

伏せた目の、眼球の裏あたりで――。

慎一は昼間の出来事を見ていた。

海辺で偶然目撃したあの光景は、砂にまみれてざらついた手のように、慎一の胸をいまも厭な感触で撫で回しつづけている。

学校帰り、慎一は同じクラスの春也《はるや》と二人で、岩場の陰に前もって仕掛けておいたブラックホールを確認しに行った。ブラックホールというのは慎一が考案した罠で、一・五リットル入りのコーラのペットボトルの上のほうをカッターで切り離し、反転させて切り口に突っ込んだ、つまりは手製のびくだった。中に石の重しと煮干しを入れて、陽が当たらない場所に沈めておくと、あとで覗いたときに小魚や小エビや蟹や、運がよければカタクチイワシなどが獲れている。カタクチイワシは群れをなしているので、獲れるときは絶対に一匹ではなく、五匹から、多いときは十三匹も狭い罠の中でひしめいていたことがある。獲ったところでべつに食べたり飼ったりするわけではなく、しばらく触って遊んだあと海に戻すのだが、それでも学校で授業を受けながら、今日は何がかかっているかと想像するのは楽しかったし、世の中に出回ってからそれほど長く経っていないペットボトルに対し、そうしてさっそく別の使い道を考えついたということ自体、慎一の密かな誇りだった。

「またヤドカリだけやわ」

ジーンズの裾を膝の上までまくり上げた春也は、ブラックホールを持ち上げて下から覗き込んでいた。春也の出身は関西の海辺の町で、つまり彼もまた慎一と同じ引っ越し組だった。

「いまイワシが回ってきてるから、そのうち入るよ」

慎一は身長の高いほうではないが、小柄な春也よりはまだ上背がある。春也が見上げているブラックホールは、ちょうど慎一の目の高さにあった。ふやけた煮干しに、ヤドカリが四匹へばりついている。

「煮干し、これまだ使えそうやな」

ヤドカリだけを取り出し、春也はブラックホールをそのまま同じ場所に沈めた。

ぬるぬるした石に足を取られないよう気をつけながら二人で岸へ戻る。海から上がって靴下とスニーカーを履いていると、濡れた手足に四月初めの風が冷たかった。

「ヤドカリ、あぶり出そか」

「ライターあるの？」

春也はジーンズのポケットから赤い百円ライターを取り出した。火をつけたが、明るい陽射しの中で、炎の色は薄らいでよく見えない。ライターの上では空気が縦にねじれて揺れていた。ヤドカリをあぶり出す方法は、仲良くなりはじめてすぐに春也が教えてくれた。火で貝を熱してやると、驚いたヤドカリが中から這い出てくるのだ。はじめに春也がそれをやってみせたとき、慎一はひどく気持ちが悪かった。ぼとりと地面に落ちたヤドカリの、思わぬ動きの速さが蜘蛛《くも》に似ていたこともあるが、何よりその左右非対称の姿が不気味だった。ぶよぶよした、曲がった腹を引き摺りながら、ヤドカリは素早く堤防のコンクリートの上を駆け、春也が行く手を手で遮ると、進行方向を九十度変えてまた一目散に走った。ヤドカリの向かった先に、どこで拾ってきたのか春也は栄養ドリンクの蓋《ふた》を置いた。ヤドカリはそれを八本の脚で素早く確認し、後ろ向きになって入ろうとしたが、瓶の蓋に上手く入れるはずもなく、なんだかぐるぐると気味の悪い動きをつづけているばかりだった。やがて諦めたヤドカリがふたたび走り出すと、春也はそれをつまんで無造作に海へ放《ほう》った。

「ガドガドの裏でやろか」

ガドガドは道路の向こう側に建っている、廃業した飲み屋だった。以前岩場でライターを使っているのを、通りかかったおせっかいなおじいさんに注意されてから、見られてまずいことはたいていガドガドの裏でやることにしている。

春也が先に立って緩やかな岩の斜面を上っていった。斜面からは徐々に岩の姿が消え、かわりに砂の部分が面積を増やし、やがては完全な砂浜に変わってコンクリートの壁にぶつかる。その上にガードレールと道路がある。

「春也、カバンは?」

「持ってきて」

慎一は二つのスポーツバッグをかついで友達の背中を追いかけた。転校前の小学校は六年生までランドセルだったが、こちらの学校は四年生からはどんなカバンでもいいということになっている。誰も教えてくれなかったので、四年生の始業式の日、ランドセルで登校してきたのはクラスで慎一と春也だけだった。春也は翌日からもう流行のデザインのスポーツバッグを提げてきた。いま慎一が使っているアディダスのスポーツバッグを買ってくれたのは、それから三ヶ月ほど経った夏休み前、純江のかわりに授業参観に来た昭三だった。

「ガドガドのあと、新しい店できないのかな」

一斗缶と古タイヤを使い、ずっと前に二人でつくった階段を、慎一は春也につづいて上った。ズボンの股を擦りながらガードレールを越して道路に出た。

「どうなんやろ。また飲み屋ができてほしいなんて、親父は言うてたけど」

春也の父親は化粧品を売り歩く仕事をしている。売れた月と売れない月で給料がずいぶん違い、多く貰った給料日は明け方まで帰ってこないらしい。玄関ドアの音。冷蔵庫を開け閉めする音。コップを乱暴に流し台に置く音。母親の声。もっと大きな父親の声。また母親の声がして、それに被せるように父親が怒鳴る。たいていは、そのあとで物が壊れる音がする。どのタイミングで春也が目を醒ますのかは、そのときによって違うが、とにかく襖の向こうから聞こえてくる音と声は、いつも同じ順番なのだそうだ。

「飲み屋なんて、いらないよね」

ガドガドへ向かいながら言ってみたが、春也は返事をしなかった。

左右を見回し、人がいないことを確かめてから、二人は店の前に広がった駐車場へと入り込む。入り口は木の杭と針金で車が入れないようにしてあるが、人間は簡単に入ることができる。駐車場のアスファルトは、あちこちから雑草を飛び出させ、うねうねと波打っていた。その波打ち際をかすめるようにして慎一と春也は駐車場を過ぎ、店の脇を抜けて裏手へと向かう。

そこは薄暗くて細長い、秘密の場所だった。

道路からは見えないし、背後は小高い山になっている。塀で仕切られた隣の敷地には平屋建てのぼろ家があり、びっくりするほど歳を取った夫婦と、痩せて毛の抜けた犬が住んでいるが、なるべく大きな声を立てないよう気をつけているので、二人がここで遊んでいることはおそらくまだ気づかれていないだろう。その家とガドガドは、どちらも山裾にめり込むようにして建っている。だから秘密の場所はいつも暗く、地面に落ち葉が堆積《たいせき》して苦い匂いをさせていた。

店の裏には鍵のかかったドアがあり、そのドアの前に二段のステップがついている。二人はいつも、そこに並んで座る。すぐそばに黄色いビールケースが、砂埃《すなぼこり》を被っていくつも重ねられていた。

「ゲーセンでもできひんかな」

ヤドカリをばらばらと二人の尻のあいだに落としながら春也が言った。今度は逆に慎一が返事をしなかった。

「駄菓子屋でもええけどな、店の前にゲーム機置いてくれたら。そういう店、ずっと前にあったらしいで、俺とか慎一が来る前に。あっこの、役場のほうや言うてた」

慎一の家にあまり金がないことを、もちろん春也も勘づいていないわけではないのだろうが、それでもこうして話題に気を遣わないのは彼のいいところだ。

「これ、一番でかいんちゃうかな。さっきハサミが見えたわ」

四つのヤドカリの貝はどれも同じほどの大きさだったが、春也は白と桃色の尖ったやつを選び、ポケットからライターを取り出した。慎一もポケットに手を突っ込んで、家の鍵を出した。昭三の家の玄関は昔ながらの引き戸で、鍵が東京で使っていたやつよりもずっと小さい。火傷《やけど》しないよう、慎一は手近な落ち葉を二枚拾って鍵の細い部分に巻きつけた。そこを指でつまんで差し出す。春也はヤドカリを逆さまにして、鍵の頭に開いた四角い穴に貝の先っぽを嵌《は》め込んだ。

シュッとライターが鳴る。陽射しの中で見たよりも、炎はずっと濃い色をしている。慎一が支え持った鍵の下から、春也はヤドカリの貝をあぶった。十秒ほどで、上を向いた貝の口からビクッと白いハサミが覗いた。そのまま火を動かさずにいると、グロテスクなヤドカリの身体が一気に這い出してきて、しかしまた素早く貝の中に引っ込んだ。視界の下のほうで、ほかのヤドカリたちがもぞもぞと這い回りはじめていたが、慎一も春也もそちらを見なかった。う、と春也が小さく息を洩らした。目の前に、いきなり剝き出しのヤドカリが飛び出したのだ。ヤドカリは二人のあいだに落下し、それとひとつづきの動きで走り出した。向かってきたのは慎一のほうだった。コンクリートの上で微かな硬い音をさせながら、速いメロディーを弾いているピアニストの指のように、たくさんの脚をばらばらに動かして、猛然と近づいてくる。慎一は一瞬、そのヤドカリが猛毒を持って最後の反撃に出たというような錯覚をおぼえて飛び退いた。スニーカーの踵《かかと》がステップの端に引っかかり、後ろ向きにたたらを踏んで、背中に硬い衝撃が走ったかと思うと、直後、頭上からビールケースが連続して降ってきた。

声も出なかった。

気がつけば慎一は、風呂にでも浸かっているような恰好で、黄色いビールケースの中に埋もれていた。ぱらぱらと、砂埃が頬をかすめて落ちていく。春也が腰を半分浮かせた状態で、口元を引き締め、しかし両目は大きく見ひらいてこちらを見ていた。慎一もたぶん、同じような顔をしていた。二人の目が合った。互いに何も言わなかった。

それから、どちらも苦しくなるくらい笑った。

「聞こえるて、聞こえるて」

息も絶え絶えに春也が塀の向こうを指さす。慎一は両手で自分の口を押さえ、しかしそれでも笑い声がはみ出てきそうになり、胸を震わせながらもっと強く両手を押しつけたら、右手の人差し指が鼻の穴に入った。それでもう二人は耐えきれなくなり、春也が身体を折りながら慎一のシャツを摑んで駐車場のほうへ引っ張っていった。目の前にぱっと海がひらけ、それと同時に二人は互いに折り重なるようにして精一杯の大声で笑った。ときおり通り過ぎていく車のエンジン音も聞こえないほどだった。

「カバン……カバン、置きっぱなしや」

春也が思い出し、涙の溜まった目をシャツの袖口でごしごしやりながら店の裏に戻っていく。慎一もいっしょに行こうとしたら、まだハアハア言いながら片手を振った。

「ええて、取ってくるから」

呼吸を整え、慎一は顔を上に向けた。山の緑には春らしい濃淡があり、頂上近くにブロッコリーのようなかたちをした木が見える。空はうっすらと霞がかっていて、そのずっと奥のほうを、水切りの石みたいな動きで鳥が横切っていった。腹の底に疼くような興奮があり、しかし胸と肩は笑いの余韻で気だるい。風が吹き、潮の匂いが後ろから顔を包んだ。その匂いに誘われるようにして、慎一は海を振り向いた。

視界の端に、ある光景が映った。

道路を左へ二十メートルほど進んだ場所に、押しボタン式の信号機がある。横断歩道を、海側からこちら側へ、おばあさんと犬がゆっくりと渡ってくる。あれはガドガドの隣の家に住んでいるおばあさんだ。しかし慎一が目を留めたのは彼女ではなく、横断歩道の手前で停車している一台のヴァンだった。グレーの、屋根にルーフキャリアがついたヴァン。車体はワックスでぴかぴかに光っていて、左のサイドミラーの枠が太陽を白く跳ね返している。道路は僅かに右へカーブしているので、車はちょうど慎一に尻を向けていた。黒みがかったリアウィンドウの向こうに、運転席と助手席が見える。運転席には短髪の男性。助手席には——。

あれは母だろうか。

慎一は駐車場に突っ立ったまま、長い髪のシルエットを眺めた。

運転席の男が、何か言いながら助手席のほうに身を乗り出す。影絵のように、唇の動きと、くっきりした鼻のかたちがよく見えた。あれは誰だったろう。どこかで見たことがある気がするが、思い出せない。助手席の女性がそちらに顔を向けた。やはり、母のように見える。二つの横顔のあいだを、地面を睨むようにしておばあさんが移動していく。その姿がフロントガラスの左端へ消えると、それを待っていたかのように、運転席の男の唇がまた動いた。向き合った助手席の女性の頭が小さく揺れる。何かを否定するような、拒むような仕草に見えた。男の上体が大きく動く。自分の顔を相手のほうに近づけていく。そのとき女性が、何か言葉を発しながら正面を向いた。男の顔が、ふっと同じほうへ向けられた。

そのまま車は発進し、遠ざかっていった。

信号が青に変わっていたのだ。

何もかも「ある程度」は知っている十歳の目に、たったいま見た光景は強く強く彫りつけられ、硬い棒の先で押さえつけられているような息苦しさが慎一の胸に残った。

「……なんや？」

ぽつんと一台きり走っていくヴァンを目で追っていると、春也が隣に並んで首を伸ばした。

ヴァンはもうほんの小指の爪ほどの大きさになっている。

「べつに、何でもない」

そう、何でもない。

「あのヤドカリどうした？」

スポーツバッグを受け取りながら訊くと、春也は握っていた右手を少しだけひらいてみせた。

剝き出しのヤドカリが、指の奥で警戒するように動く。

「これどうしよか？　浜に放ってもええかな」

慎一は走り去ったヴァンのことをまだ考えていた。

「なあ、浜に放ってもええ？」

同じことを訊かれ、ようやく顔を向けた。

「いいよ、そのへんに捨てとけば」

春也の顔のどこかが、ぴくっと動いた。

けっきょく春也は一人で道路を渡り、ガードレールのとっつきからヤドカリを浜に投げた。

手の動きは見えたが、ヤドカリの姿は見えなかった。

「もし味が薄かったら、お醤油かけてくださいね」

鮪《まぐろ》の切り落としとキャベツを炒めたのを、純江が座卓に置いた。すぐお勝手にとって返し、自分のご飯と味噌汁を持ってきて、慎一の隣に座る。

「ねえ、仕事ってさ――」

なるべく普段どおりの声を出そうとしたのだが、上手くいかなかった。訊ねるように眉を上げる純江から目をそらし、慎一は自分のコップに麦茶を注ぎ足した。

「ずっと事務所でやってるの？」

「お遣いに出るときもあるわよ。郵便局とか、銀行とか」

「歩きで？」

「そうよ、免許ないもの」

不思議そうに、半分笑った口で答える。

「急ぐときは事務所の自転車で行っちゃうけど。どうして？」

「べつに」

何度目かの同じ言葉を、慎一は返した。

「ひばりもしかし、根性あんなあ」

テレビに顔を向けたまま昭三が呟く。すれて布地が薄くなった寝間着の、左の膝あたりをぽりぽりと掻いている。昭三の左足はそこまでしかない。膝から先には偽物の足がついていて、少し汚れて黒ずんだ樹脂製の踵が、つるりと天井の蛍光灯を映していた。

（二）

その夜、慎一は家を抜け出した。純江がお勝手で洗い物をはじめた隙に、そっと玄関の引き戸を開けて暗い路地に忍び出た。

居間のすぐ外を横切って、海のほうへ向かおうとすると、

「蟹はさ、純江さん」

酒が入って大きくなった昭三の声が家の中から聞こえてきた。

「蟹は脚が一本もげても、まだ九本あるから働けていいわな」

水音に混じって純江が何か言い返したようだが、聞き取れなかった。

昭三が左足の下半分を失ったのは十年前の冬だ。ひどい濃霧の早朝、しらす漁をしていた昭三の漁船にフェリーが衝突し、祖父と同乗者たちは海に投げ出され、昭三の左足は船のスクリューに切断された。

しらす漁はパッチ漁法という、二艘の船で魚群を囲むようにして一つの大きな網を引くかたちで行われ、そのときも昭三の漁船には対になるもう一艘の船があった。その船に引き上げられ、大怪我をした昭三も同乗していた若い漁師たちも一命を取り留めたのだ。しかし漁船には昭三や若い漁師たちのほかに、一人の女性が同乗しており、彼女は転覆した漁船の下で意識を失っているところを発見された。県内にある大学の研究者で、しらすの体色の変化だか何だかを調べるために、その朝だけ昭三の船に乗っていたのだそうだ。彼女はすぐさま病院へと搬送

されたが、けっきょく意識は戻らず亡くなった。

フェリーを運航していた船会社から保険金が支払われたが、過失割合は五分五分といったところで、しかも昭三の場合はもともと稼ぎが少なく、それらをもとに算出された保険金は大きな額ではなかった。女性のほうには昭三よりもずっと高い保険金が支払われたらしい。

祖母はその七年か八年前に病気で亡くなっていたので、義足を嵌めた祖父は、慎一たちが引っ越してくるまであの家で独り暮らしをつづけていた。政直と純江が週末に世話をしに——昭三が言うには世間話をしに——行き、慎一も二度に一度くらいは同行した。

いまこうしていっしょに寝起きするようになっても、祖父の印象は驚くほどその頃と変わらない。日本酒と旬の魚と、孫をからかうことが大好きで、月夜には何故か月に向かって手を合わせる。何をしているのかと慎一は訊いてみたことがあるが、「そう決めてるだけだ」と、苦笑しながらの返答は要領を得なかった。もしかしたら、本当にただ癖でやっているだけなのかもしれない。朝食の席で眉毛をつまんで抜き、一度に抜けた本数を数えたり、テレビの中でニュースキャスターが礼をすると必ず頭を下げ返したり、昭三にはいろいろと変な癖がある。

乏しい街灯の光の下を、海へ向かって歩いた。途中で道は細い川を越える。真水と海水が混じり合う場所で、慎一は昭三に竿を借りて、アジもナマズもここで釣り上げたことがある。欄干に胸を押しつけて身を乗り出してみたら、呟くような水音が聞こえ、細長い葉が一枚、くるくる回りながら水面を流れていくのが見えた。

「——利根《とね》くん？」

急に呼ばれた。家を抜け出していたので、思わずびくりと顔を向けると、相手もその反応に驚いたらしく、近づいてくる足を止めて背筋を伸ばした。

「なんで睨むのよ」

同じクラスの葉山鳴海《はやまなるみ》だった。

「……驚いたから」

「夜遊びしてんの？」

「散歩。そっちは」

「自転車屋さん行くとこ。直ったから取りに来てくれって電話あって。修理に出してたの」

二年前に引っ越してきたとき、クラスで最初に話しかけてきたのはこの鳴海だった。彼女は慎一の住んでいる場所や、前に住んでいた場所などを訊ね、担任の岩槻《いわつき》先生は滅多に怒らないからよかったねと言って笑った。東京の小学校では男女が仲良く喋ることなどほとんどなかったので、慎一は驚いた。そしてその日の午後になり、クラスの男子たちが彼女のことを「鳴海」と名前で呼んでいることに気づいてもっと驚いた。ただ、それは単に彼女の姓がこのあたりで多いものだったかららしい。三十九名のクラスでさえ、葉山という名字の生徒は三人いた。

「あの細いやつ？」

「何が？」

「自転車って」

ああ、と鳴海は笑いながら頷く。

「そう、その細い自転車。ロードバイクって、こないだ教えたじゃん」

鳴海が放課後や日曜日に、線の細い、タイヤの大きな自転車に乗って海辺を走っているのを何度か見かけたことがある。父親の影響で去年からはじめた趣味なのだそうだ。彼女が乗っているのは子供用のものだが、父親はもっといろいろな機能がついて、スピードも出るやつに乗っているらしい。「趣味」などという言葉をクラスメイトが口にしたことに、はじめ慎一はこそばゆさを感じたが、あとになって、それは単に自分が趣味と呼べるものを何も持っていないからだと気がついた。春也と仕掛けているブラックホール、あれは趣味だろうか。

海風が吹き、肩まである鳴海の髪を持ち上げた。潮の香りに混じって、洗ったばかりの洗濯物のような匂いが鼻先を過ぎた。

「こんな時間に取りに行くんだ」

「家に自転車がないと、なんか落ち着かないから」

「お父さん、怒らない？」

「まだ仕事だから平気」

鳴海が歩き出したので、なんとなく慎一も並んだ。並んでから急に気恥ずかしくなったが、いまさら何か言って引き返すのもおかしい。ちらりと鳴海に目をやると、白い横顔が、暗がりにうっすらと浮いて見えた。

「あんなに自転車乗ってて、陽に焼けないの？」

「日焼け止め塗ってるから」

日焼け止めというものを慎一は知らなかったので、はじめは何かセメントかパテのようなものをイメージしたが、そんなはずはない。

「あんまり焼けちゃうと、まずいし」

「何で？」

鳴海は数秒黙った。

「だって、かっこ悪いじゃん」

誤魔化すような言い方だった。ちょうど自動販売機の明かりと重なって、鳴海の表情は見えない。その明かりに誘われたらしい羽虫が一匹、慎一の鼻先をかすめて彼女のほうへ飛んでいき、鳴海は小さく声を上げた。

けっきょく、慎一は自転車屋まで鳴海といっしょに歩いた。

「あっ、ディレイラーだったんですか？」

胡麻塩頭の店主が、慎一にはよくわからない単語を並べて修理の経過を説明すると、鳴海もまた慎一の知らない言葉を使ってそう訊き返した。

「そうそ、このほら」

ナントカの部分に油がカントカして。ああ、それでナントカが回っちゃって？　そう、だから鳴海ちゃんがナントカを下げたときにカントカが外れちゃってたんだ。へえ、ナントカを使うタイミングって難しいんですね——。

居心地が悪くなり、慎一は店の外に出た。

鳴海が自転車を押しながら出て来たのは十分も経ってからのことで、彼女は慎一を見ると驚いた顔をした。

「待っててくれたんだ。帰っちゃったかと思った」

あんなに急に帰るわけがない。

「自転車、ちゃんと直ってたの？」

訊くと、鳴海は昏のあいだから軽く息を洩らして嬉しそうに頷いた。

二人はふたたび並んで夜道をたどった。そのときになって初めて慎一は、もしかしたら鳴海は直ったばかりの自転車に乗って帰りたかったかもしれないと考えた。自分は邪魔だっただろうか。しかし鳴海は、来るときよりもむしろ楽しげで、口数も多かった。

「こんどね、お父さんと江ノ島に自転車乗りに行くんだ」

「江ノ島なんて、自転車で行けるの？」

「車で行くんだよ。自転車は車に積んで。うちの車、ルーフキャリアに自転車積めるようになってるの。たまにお父さんと、江ノ島とか材木座海岸のほうとか行くんだ。いつも近くばっかり走っててもつまんないし」

なんだか同級生の話ではないようだった。

鳴海の家が金持ちだということはクラスメイトの誰もが知っている。いつも違う洋服を着ているし、いま押しているこのロードバイクだかも相当に高価《たか》そうだ。慎一が東京から持ってきて、サドルをいっぱいに高くして乗っている自転車とはとても同じ種類の乗り物に思えない。

しかし鳴海はお嬢様を気取っているようなところもなければ、金持ちを隠そうとしてかえってそれを印象づけるようなこともなかった。だからクラスで人気があるのかもしれない。男女問わず、鳴海を悪く言うクラスメイトはたぶん一人もいない。

「お父さん、あたしと走ってるときはゆっくりこがなきゃならないから、すごいつまんなそうなんだよね」

小さな笑い声だったが、夜のせいでよく響いた。道の脇には影絵を四角く切り抜いたような黄色い窓が並んでいて、そのどれかの向こうから、鍋同士を重ねるような音が聞こえてきた。

こうして鳴海が慎一に家族のことを話すのは珍しい。いつも明るくて、どちらかというとお喋りな鳴海だが、家族の話をすることはほとんどなかった。ほかのクラスメイトには話しているのかもしれないが、慎一に対してはまずない。

それには理由がある。

少なくとも慎一は、あると思っている。

十年前、昭三が操縦するしらす漁船に同乗し、冬の海に投げ出されて死んだのは鳴海の母親だった。こちらの学校へ転校してきたとき、慎一は最初の登校の前に昭三からそれを教えられた。事情を知っている担任の岩槻が、事前に昭三へ連絡をくれたらしい。慎一が編入することになるクラスに、あの事故で亡くなった女性の娘がいるのだと。あとで昭三から聞いたところによると、岩槻は別段重たい口調でもなく、ただちょっとした雑談のように教えてくれたそうだ。同じクラスになるからどうというわけではないが、知らないよりは知っていたほうがいいだろうという程度に話したらしい。

　はじめに教室で話しかけてきたとき、自分が昭三の孫だということを知っていたのかと、いつだったか鳴海に訊いたことがある。知っていたと彼女は答えた。

　——だから話しかけたの。そっちからは話しかけにくいだろうから。

　いまになって慎一は、あのとき鳴海は自分などにはとてもできないすごいことをやってみせたのだと、思い出すたび感心する。

　事故のことはクラス中の生徒が知っている。彼らがいまだに慎一と距離を置き、必要以上に相手にしようとしないのは、鳴海のことが好きだからなのかもしれない。慎一が、鳴海の母親を事故に巻き込んだ漁師の家族だからなのかもしれない。事故で実際に母親を亡くした鳴海だけが仲良くしてくれて、ほかのクラスメイトたちが打ち解けてくれないところに、慎一はしばしば苛立ちをおぼえた。苛立つこちらも勝手だが、苛立たせるあちらも理不尽で、慎一は気持ちのぶつけどころがなく、それだけに感情は根深かった。

「ビールケースが落ちてきた」

　街灯の下で首の擦り傷を見つけられ、慎一はそう答えた。

「何でそんなのが落ちてきたの？」

「ぼけっとして歩いてたら、積んであったやつにぶつかった」

　ヤドカリの話は、彼女のロードバイクのあとではあまりに子供じみているように思えて言えなかった。

「富永《とみなが》くんと喧嘩でもしたのかと思った。今日、いっしょに学校から出ていくとこ見たから」

「春也とは喧嘩なんてしないよ」

「いつもいっしょに帰るよね、二人」

その言葉に慎一は微かな羞恥をおぼえた。

「――いつもじゃないけど」

「あの人、なんか怖くない？」

「誰、春也？」

どこが怖いのだろう。

「関西弁だから？」

「そういうわけじゃないけど……なんとなく」

橋の先で、鳴海とは別れた。自転車はぐんぐん遠ざかっていき、路面をぽつんと照らす白いライトが、やがて角を曲がって消えた。


慎一が家を出てきたときは、戸のほうを向いてきちんと揃えられていた純江の靴が、ばらばらに三和土《たたき》に転がっていた。片方は、死んだ魚のように腹を上にしている。

「純江さん、不良が帰ってきたよ」

静かにスニーカーを脱いでいると、居間から昭三の声が聞こえた。すぐさま奥のお勝手から足音が近づいてきて、廊下の暖簾《のれん》が勢いよく払われた。

「こんな時間に急にいなくなって。捜したのよ」

慎一に近づいてきながら、純江の顔には怒気だけでなく、何か別の感情も浮かんでいた。慎一の目の前までやってくると、背後の居間の明かりを身体で遮るようにして立った。

「何してたの」

「何も。歩いてた」

「どうしたのよ」

「どうもしてない、歩きたかっただけ」

それだけ言うと、慎一は右手にある、母と二人で使っている部屋へ入った。ゆがんだ畳にごろりと寝そべると、少し経ってから純江が静かに入ってきた。

「慎ちゃん、あんた……お祖父ちゃんに何言ったの？」

畳に両膝をつき、純江はしばらくそこにいた。やがて慎一に答える気がないとわかると、入ってきたときと同じように、音を立てずに出ていった。昭三との聞き取れない会話が、ぼそぼそと廊下の先から響いてきた。

(三)

「ね」「ね」「ね」「ね」「ね」「ね」「ね」「ね」「ね」「ね」……春也はノートに同じひらがなを書いていた。シャッ、シャシャシャー シャ。シャッ、シャシャシャー シャ。シャープペンシルの先が一定のリズムで動くのを慎一は隣に立って眺めていたが、やがて訊いて当然のことを訊いた。

「何してんの？」

春也は顔を上げずに答える。

「『ね』って、逃げてく奴をロープか何かで捕まえとるみたいやろ。このほら、縦の棒が人やとして、首んとこからぐるぐる巻いて、ぎゅっと摑んで」

シャッ、シャシャシャーシャ。シャッ、シャシャシャーシャ。またつづける。

ああなるほど、と思ったが、

「何でそれをたくさん書いてんの？」

「何でやろな。落書きやし、意味なんてないわ。休み時間って暇やん」

その休み時間も、もうすぐ終わろうとしている。三時間目は理科で、理科係のクラスメイト二人が黒板にマグネットで模造紙を貼っていた。左側に巨大な種の絵。右側に「発芽の条件」が五つ。今年度から新しく担任になった吉川《よしかわ》という教師は、授業にやたらと模造紙を使う。痩せた中年の女教師なのだが、男のような声で話し、いつも髪を後ろできつく縛っているせいで、目が余計に吊り上がって見えた。

「落書き、好きだよね」

机の上に出しっぱなしになっている春也の社会科の教科書を、慎一は捲ってみる。「棚田」というものを説明する写真に、農作業をする男性の姿が写っていて、屈み込んだその人の背中から派手な後光が射し、額に極太の血管が浮いていた。ほかのページを覗いてみると、写真に写ったほぼすべての人物が、猛烈に鼻血を噴き出させたり、目を爛々と見ひらいたり、脇毛をもじゃもじゃと生やしたりしている。そして、空いている場所には「ね」「ね」「ね」「ね」「ね」と書いてあるのだった。

「ほんで何よ？」

春也が手を止めて顔を上げた。

「え」

「お前、休み時間に俺んとこなんて来いひんやん、いつも」

たしかに学校内で春也といっしょにいることはあまりない。

鳴海を抜かせば、このクラスで慎一と仲良くしてくれるのは春也だけだ。転校してきた者同士ということもあるし、転校生である春也はあの事故のことを気にしていない。そして、そのことはクラスの誰もが承知していて、だからこそ慎一は教室で春也と仲のいいところを見せるのが厭なのだった。自分には春也しかいないのだと思われるのが——それがたとえ本当だとしても、厭なのだった。

「来週、鎌倉まつり行く？」

「日曜の？」

「そう、祖父ちゃんといっしょに八幡宮まで行くんだけど、もし暇ならと思って」

ほとんど迷うことなく、春也は「ええよ」と答えた。それからまたノートに向き直って「ね」を書きはじめたが、さすがに飽きたのか、シャープペンシルを放り出して首を鳴らす。

「俺、鎌倉まつり行くの初めてやわ」

「僕も」

去年は政直の病気がぎりぎりまで進行していたときで、祭りなど見物している場合ではなかった。

「八幡宮って、けっこう遠いんちゃうの」

「江ノ電ですぐだよ」

引っ越してきたばかりでもないのに、そんなことも知らなかったのかと慎一は驚いた。休みの日など、春也はどこにも出かけないのだろうか。そういえば、どこかへ行ってきたというような話を聞いたことは一度もない気がする。

慎一が春也を誘ったのは、今朝受け取った手紙のせいだ。

その手紙は、席に着いたときにはもう机の中に忍ばせてあり、雑に破かれたノートが四つ折りになっていて、そこにおそらくは男子の字で、鳴海と慎一との「夜のデート」をからかう内容が書かれていた。

一時間目、二時間目、慎一は怒りと羞恥に耐えながら授業を聞いていた。誰がこんなものをよこしたのだろう。クラスの全員が、これまで以上に敵に見えた。鳴海までもが、自分をこんな目に遭わせた原因の一つに思えて憎らしかった。

春也に話しかけたくなったのも、鎌倉まつりに誘いたくなったのも、その手紙のせいだった。

(四)

「いいくにつくろう鎌倉幕府も知らねえのか」

「歴史習うの、六年やもん」

「そんなお前、学校で教わんねえでも、鎌倉幕府ができた年ぐれえ知っとかねえと。近くに住んでんだから」

日曜日はよく晴れた。鎌倉駅で江ノ電を降り、鶴岡八幡宮へとつづく若宮大路《わかみやおおじ》を進む三人の額はすぐに汗ばんだ。

「そんじゃお前、建長寺《けんちょうじ》さんなんかも知らねえんじゃねえか?」

「お寺ちゃうの」

「そら寺だけどよ」

かあぁ、と昭三は口を開けて春也の顔を見下ろす。一歩ごと、突き刺すように杖をつき、そのたびに痩せた身体が左右に揺れる。

初対面の昭三と春也は、会うなりたちまち打ち解けた。いや、春也のほうが打ち解けているのかどうかはわからないが、少なくとも昭三は慎一とまったく同じような調子で春也と喋り、からかった。

「でっかい寺だぞ。日本で最初の禅寺だ」

「ゼンデラを知らんし」

「祖父ちゃんは、もともと建長寺の近くに住んでたんでしょ？」

自分だけ放っておかれている気になり、慎一は口を出した。

「あ？　おお、俺の祖父さんの代までな、山ノ内に住んでた。こっから八幡さんを越して、建長寺を越して、もうちょっと行ったとこだ。俺ぁまだ、いまのお前らよりちっちゃかったもんでな、夕方になるといつも建長寺さんの鐘が聞こえてきて、おっかなかったぞ」

「鐘が怖いの？」

「そう、怖かった」

赤茶けた額を撫で上げて、視線を上向ける。日焼けした額を太陽がまともに照らした。漁師生活をやめて十年が経っても、この肌の色は染みついたように変わらない。

「建長寺さんの鐘はな、人の泣き声に似てるっつって、夜泣き鐘なんて呼ばれてたんだ。あの寺がある場所は――あの山は、もともと刑場でな、罪人の首を斬るところだった。だから、死んだ罪人たちの泣き声が鐘の音になって聞こえてくるっつって、それがえらくおっかなくてよ。風のない夕方には、あの音が家ん中までよおく聞こえてきてな」

「ほんとに泣き声に聞こえたの？」

昭三は視線を上げたまま、しばらく無言で喉仏を蠢《うごめ》かしていたが、やがて苦笑とともに小さく首を振った。

「普通の音だったな。ただの、寺の鐘だ」

「なんや、気のせいかいな」

春也ががっかりしたように呟く。

「お前さんは、聞いたことねえからそんなふうに言える」

「聞いたかて、普通の音なんちゃうの」

「普通の音がな」

遠くで胸を張っている入道雲のほうへ、昭三は目を細めた。

「普通の音が、違って聞こえるときがあんだ」

ひたすらに真っ直ぐな若宮大路を、しばし三人は無言で進んだ。歩くごとに足元で白い土埃が立ち、頭上では葉を交えた桜の花が太陽をすかして揺れている。周囲で観光客が騒々しかった。

「でもな……風の日は、もっと怖かった」

慎一が忘れた頃、昭三はふたたび話をはじめた。もっとずっと年寄りが喋るような、咽喉から聞こえてくる声だった。

「建長寺さんの裏山にな、十王岩《じゅうおういわ》ってえ大きな岩があるんだ。誰がやったか知らねえが、その岩に仏像が三つ、並べて彫ってある。小学校以来、俺も見てねえんだが——そのときにはもう雨風にさらされて、顔も手足も、よくわからなくなってた。刑場で殺された人たちの霊を慰めるために彫られたんだそうだ。風の日はな、その十王岩が、こう——」

右手を持ち上げ、聴き耳を立てるように顔の横へ添える。

「声を上げて泣くんだ。建長寺さんの鐘と違って、こっちは本当に人の泣き声に聞こえる。いや、泣き声じゃねえな、呻《うめ》き声だ。昔は夜んなると、その呻き声が山ノ内まで聞こえてきたもんだ。いまは建物が多くなったせいか、聞こえねえけどな」

「岩のそばなら、いまでも聞こえるの？」

慎一が訊くと、祖父は横顔で頷いた。

「時間が経っても、岩はかたちを変えねえからな」

前方にちょうど、八幡宮の巨大な鳥居が見えてきた。あの鳥居をくぐると右に源氏池、左に平家池があり、二つの池をつなぐ水路の上に太鼓橋が架かっている。極端に猫背なあの橋を初めて見たとき、慎一は昭三に、もともと普通の橋だったのが関東大震災で地面が動いてああいうかたちに縮まったのだと言われ、それを信じた。

「なあ、見に行かへん？」

鳥居をくぐる直前、春也が急に言った。

「何を？」

「その十王岩。近いのやろ、こっから」

じつのところ慎一は、先ほどから春也がそれを言い出してくれるのを期待していたのだった。昭三の話を聞いた瞬間から、見てみたいと思っていたのだ。

「祖父ちゃん、建長寺って近いよね」

「まあ、十五分も歩きゃ着くだろうな」

「十王岩まではどうやって行くの？」

「あの岩は……建長寺さんの境内を通って、半僧坊を抜けて、峰沿いに山ん中をしばらく行けばある」

でもな、と昭三は何か言いかけたが、慎一はそれに声を被せた。

「いま何時？」

「まだ十二時……ああと……ちょっと過ぎだ」

昭三はズボンのポケットから、バンドが片方しかついていない腕時計を取り出して覗いた。

「ナントカの踊りって何時からだっけ？」

「踊りじゃねえ、『静《しずか》の舞《まい》』だ。ありゃあ三時からだ」

静の舞というのは八幡宮で行われる祭りのメインイベントで、昭三はそれを慎一たちに見せるのをとても楽しみにしていた。

「その前に、行ってこようよ。あ、でも、そうか。祖父ちゃんは足があれだから」

「行ってこられるんちゃう？」

昭三は顔を上向けて、しばし何かを考えていたかと思うと、ふっと息を抜くようにして慎一を見下ろした。

「二人で行ってみたらどうだ」

「え、いいの？」

「行きてえとこに行きゃいい。子供なんだから」

自分は八幡宮にいると、昭三は言った。

「ちょうどひと息入れてえと思ってたとこだ。老人の休憩に子供を付き合わすのも申し訳ねえしな、行ってこい。俺は舞殿のあたりで待ってる。建長寺さんの場所はわかるな？」

「憶えてない」

「この横の道を、ずっと真っ直ぐだ」

まだ政直が生きていた頃、建長寺には一度だけ連れていってもらったことがある。しかし寺への道行きも、そこでどんなものを見たのかも、慎一はもう憶えていなかった。ただ漠然とした、何か大がかりな墓参りをしたといった印象が残っているだけだ。

建長寺の境内の抜け方と、その裏山にある半僧坊《はんそうぼう》という場所、そこから山の奥に入る道を、昭三は乾いた土に杖の先で図を描いて教えてくれた。

「そのかわり、三時までには戻ってこいよ」

返事もそこそこに、慎一と春也は横道に歩を踏み出した。背後から「金、金」と呼び止められ、慌てて戻って昭三から建長寺に入るための拝観料を受け取った。

（五）

「靴、真っ白やん」

「そっちも」

「あれ、ほんまや」

建長寺の総門を抜け、受付で拝観料を支払って長細い小さなパンフレットをもらった。しかし二人とも内容など見ずに尻のポケットへ仕舞い、境内の砂利道を歩き出した。二人のスニーカーが白くなっているのは、先ほど歩いていた若宮大路の土埃のせいだ。

「さっきお祖父さんが言うてたゼンデラって何なん?」

「何だろね」

せっかくだから境内を少し見物していこうということになり、慎一と春也は観光客が集まっている有名そうな場所を選んで覗いていった。仏殿に祀られていた立派な地蔵菩薩を見て、お地蔵さんのくせに偉そうだと春也が言い、周囲の観光客が笑った。立て札に「法堂」と書かれた建物へ近づいていくと、「法堂」の横にふりがなが振ってある。

「はっとうやて」

「ほうどうじゃないんだね」

法堂の天井には巨大な龍が描かれていて、どこに立っていても自分たちを睨み下ろしているように見えるのが怖かった。龍の下にはがりがりに痩せて腹のへこんだ人物の像があり、知らない言葉を飛ばし飛ばし説明書きを読んでみると、どうやらそれはお釈迦様が断食をしているところらしい。

大人がいっしょでないときに、こうして寺や仏像をじっくりと見たのは初めてだった。やや意識して思案深げな顔をつくり、説明書きに頷きながら慎一は、自分が仏教の研究者にでもなったような気がしていた。ノートや万年筆や、何か難しい器具を手に、将来春也と二人でどこかの寺を調査しているという想像がふくらんでぞくぞくした。

「ああやって修行してたんだね。大変だっただろうね」

「どやろな」

春也はお釈迦様の像にも、説明書きにも顔を向けていなかった。太陽の光が四角く射し込んでいる出口のほうを、表情のない目で眺めている。

「そろそろ見に行かへんか、岩」

言いながら、春也はもう明るい屋外へと足を向けていた。慎一は裏切られたような気分で追いかけた。

境内に流れる小川に、ユスリカが煙のように群れていた。小川に沿って進んでいくと、左右に桜が連なる道に出た。石でできた鳥居の先に急な階段が見え、立て札によると半僧坊というのはその上にあるらしい。子供だけで歩いているのが珍しいのか、頭にタオルを巻いて竹箒《たけぼうき》を使っていた老人が、しょぼしょぼと濡れた目を上げて慎一たちを眺めた。

遠目で見たよりも石段は急で、登りはじめるなり両足が重たくなった。慎一は半袖のTシャツを着ていたが、春也は襟付きの長袖だった。しかめっ面をしながら袖を捲り上げ、片手で首元のボタンを外す仕草が恰好よく、自分も同じようなシャツを着てくればよかったと慎一は後悔した。

ほどなくしてたどり着いた半僧坊は、小ぶりの寺のような建物で、中には誰もいないらしく静まりかえっている。立ち止まると、汗ばんだ肩や首筋に風が心地よかった。

「十王岩って、あの細い階段を登っていけばええんかな」

「あそこしか道がないから、間違いなさそうだね」

　木の葉隠れに見えていた階段を、二人で登りはじめた。透明な草の匂いと、ねっとりとした樹液の匂いが混じり合い、呼吸《いき》をするごとに身体の中が山の色に染められていく感じがした。階段を登りきると、もう道はない。いや、あることはあるのだが、それは道というよりも単に木々と下草の隙間だった。春也が先になってその隙間を進んでいく。黒土の上に、ときおり山桜の花弁が落ちていた。やがて太い木の根が大蛇の背のように行く手を邪魔しはじめ、それを踏み越えながら慎一は、今度は植物学者にでもなったような気分だった。いま自分はこうして険しい山に入り、誰も知らない謎の花を、春也と二人で見つけようとしている。

「なあ」

　半僧坊を出てからずっと無言だった春也が急に振り向いた。長い前髪の先から、汗の雫が地面に落ちた。

「お前こないだ教室で、なんか手紙みたいの読んどったやろ。あれ、何やったん？」

「何でもないよ。ただの悪戯《いたずら》」

「悪戯って何よ」

　訊いたきり、春也はまた斜面に向き直った。しかし、汗染みの浮いた背中はじっと返答を待っている。いつまでも無言でいるわけにはいかないので、仕方なく慎一が事の次第を説明すると、春也はずいぶん経ってから声を返した。

「そしたら、ほんまやったんやな」

「何が？」

風が頭上の葉を騒がせ、会話は中断された。葉鳴りが止んでから、春也は故意《わざと》のように明るい口調で男子のクラスメイト二人の名前を挙げた。

「あいつらが喋っとったのが聞こえてん。お前と鳴海が、夜いっしょに歩いとったって」

「たまたまだよ。散歩してたら会っただけ。——え、じゃああいつらが机に手紙入れたの？」

「どやろな。あいつらとはかぎらんのちゃうかな。なんや、クラスのみんなが知っとるような感じで喋っとったから」

あの手紙を見た瞬間の悔しさが、この数日間忘れていたことによる濁りをともなって、ふたたび胸にこみ上げた。それまで周囲の景色がまとっていた神秘的な色が急に掻き消えた気がして、慎一は余計に腹が立った。

「あっこに何か書いてあんで」

春也の声に顔を上げると、分かれ道に木の立て札がある。雨風で消えかけたペンキの文字は「十王岩」と読め、ひょろっとした白いキノコのような矢印は前方を指していた。

「もうちょっとや」

足を速めて進んでいくと、左手に巨大な岩が見えてきた。長方形の大きな穴が穿《うが》たれていて、ちょうど部屋のようになっている。中は暗くてよく見えない。

「なあ、あれ仏像ちゃう？」

「どれ」

「穴の中よ。ぎょうさん並んどるで」

小暗い穴の中に、慎一も目を細めた。左右と奥の壁に沿って、たしかに仏像が並んでいるようだ。

「みんな、首がないように見えへん？」

春也が穴に近づいていったので、慎一もあとにつづいた。

本当に首がなかった。ずらりと並んだ十数体のその仏像は、みんな首が取れているのだった。

「十王岩って、これやろか」

「でも、祖父ちゃんの言ってた感じと違うよ。岩に仏像が彫られてるって言ってなかった？」

「言うとったな」

穴から出て道の先に視線を伸ばすと、木のあいだに灰色で丸みを帯びた岩が見える。

「あそこにあるやつじゃない？　ほら、何か彫ってある」

「あ、そやそや、間違いないわ」

二人で身体をぶつけ合うようにしながら道の先を目指した。

「うっわ、ほんまに彫られとる」

緑色の苔がまばらに張りついたその岩には、たしかに三体の仏像が直接彫られていた。

昭三が言ったように、それらはほぼ原型をとどめていない。包帯で巻かれて身体の線がなくなったミイラみたいに、単純な輪郭だけが浮き出して残っている。顔には鼻も口もなく、あるのは二つの目だけで、その目もただぽっかりと空いた穴でしかなかった。それなのに、その三体の仏像たちの目は、先ほど法堂の天井で見た龍の目よりもずっと油断なく自分たちを観察しているように思えた。

「なんか、心霊写真の幽霊みたいやな」

まさにそうだと慎一は思ったが、気味が悪いので返事をしなかった。しなかったことで、目の前の三体の仏像はいっそう幽霊じみて見えた。

「風、吹いてくれへんかなあ」

しばらく待ってみたが、そよ風程度のものしか吹いてくれない。春也は苛立ったように眉根を寄せて空を見た。

汗が冷め、だんだんと寒くなってきた。あまり遅くなると昭三に悪いので、名残惜しくはあったが、二人は十王岩をあとにした。山道を戻り、先ほどの四角い穴が空いた岩の前までやってくると、どうしてもあの首のない仏像たちにまた目が向いてしまう。

「ほんま気色悪いな」

「全部だもんね、首がないの」

「一つくらい、ついとってもええのにな」

そのとき、風が吹いた。

さっきから吹いているそよ風だと、最初は思った。しかしすぐに違うと気がついた。

驚くばかりの強い風だ。ボリュームのつまみを急にひねったように、周囲の葉が一斉に騒いだ。風に身体を持っていかれそうになり、慎一はとっさに両足を踏ん張った。木の葉が目の前を飛んでいき、自分の髪がばちばちと頬にぶつかり、春也が両手で顔を守りながら何か言ったが、まったく聞き取れない。え、と訊き返したその声も、相手に届いていないようだ。風はさらに強さを増した。両手で顔を守りながら、慎一と春也はその場でただ身を強張らせた。

やがて、風は嘘のようにやんだ。

もう何の物音もしない。動くものさえない。枯れ葉が何枚か、力尽きたようにふらふらと地面へ落ちていくだけだ。

慎一は春也を見た。

春也も慎一を見ていた。

「なあ、いま――」

春也の言葉が終わる前に頷いて、慎一がその先をつづけた。

「聞こえた」

背後で十王岩が呻《うな》ったのを、二人はたしかに聞いたのだった。

（六）

静の舞がもうすぐはじまるので、八幡宮の境内は人でごった返していた。参道を進んで舞殿の近くまで行くと、本宮につづく上り階段が即席の観覧席になっていて、大勢の人が腰を下ろしている。昭三はどこにいるのだろう。あたりを見回していると、隣で春也が小さく声を洩らすのが聞こえた。

「いた？」

返事はない。春也の視線を追ってみると、舞殿の脇に、なにやら白い着物を着た女の人たちが集まっている。十五人ほどだろうか。中には子供もいた。高校生くらいの人もいた。手に、神社でお祓いをするときに使う幣《ぬさ》のようなものを持っていたり、大振りの扇子を持っていたり。髪型はみんないっしょで、前髪と耳の脇の髪だけを垂らし、あとは頭の上のほうで二つの団子みたいにまとめられている。

「あれ？」

驚いたことに、そこに鳴海の姿があった。みんなと同じ恰好をして、片手にトウモロコシのようなかたちの鈴を持っている。顔には化粧をしているようだ。

慎一、と背後から呼ばれた。振り返ると、昭三が杖をつきながら近づいてくるところだった。

「十王岩、見てきたか」

「見た」

答えてから、すぐにまた白い着物の女性たちへ目を戻したが、観光客に遮《さえぎ》られて鳴海の姿はもう見えない。あれは本当に鳴海だったのだろうか。

「春也、いまあそこに鳴海いなかった？」

「どやろな」

興味もなさそうに、春也は軽く首をひねった。

「おっと、しー」

昭三が口の前に指を立てる。

舞殿の横に置かれたスピーカーから、女性の声でアナウンスが流れはじめた。よどみのない口調で、静の舞の由来を説明しはじめる。慎一は春也に話しかけようとしたが、昭三の乾いた手に口を塞がれたので、仕方なく黙った。

アナウンスの声はつづく。

慎一は昭三に口を塞がれたまま、それを聞いた。

『時は鎌倉時代、いまから八百年も昔のこと――』

源義経は、兄である源頼朝に追われて奥州へと落ち延びた。義経の恋人であった静御前は一人京都に残された。頼朝はその静を捕らえて鎌倉に連れてこさせ、義経の行方を問い詰めたが、静は頑《かたく》なに答えを拒む。やがて静が京でも名の知れた「白拍子《しらびょうし》」だと知った頼朝は――。

「祖父ちゃん、白拍子って？」

乾いた掌の中から訊ねると、昭三は、白拍子というのは袴姿の男装で腰に剣を差して謡い踊った美しい女性のことだと、もっとわかりやすい言葉でひそひそ説明した。

頼朝はこの八幡宮で、静に舞を舞わせようとした。しかし静はこれも拒みつづける。頼朝の妻政子がとりなして、ようやく舞いはじめるのだが、彼女はあろうことか頼朝の前で義経への思いを謡い、舞った。

吉野山　峰の白雪踏み分けて　入りにし人のあとぞ恋しき

しずやしず　賤の小田巻くり返し　昔を今になすよしもがな

それが、この静の舞なのだそうだ。

ところで十七歳の静のお腹には、このとき義経の子供が宿っていた。その年の七月、静は義経の子を産んだが、男子だったので頼朝の命により由比ヶ浜の海に投げ捨て殺された。子が育ち、いつか反逆の狼煙《のろし》を上げることを、頼朝は恐れたのだそうだ。子供を殺された静は哀しみにくれて京都へ戻り、その後の消息は不明だという。

「はじまるぞ――」

舞殿に、鼓と拍子木を持った演奏者たちが登場してきた。よう、よう、などと口々におかしな声を上げ、リズムがあるのだかないのだかわからないタイミングで鼓を打ち、拍子木を鳴らしはじめる。その奇妙な演奏の中、やがて舞台の奥から静御前が現れた。舞殿の前面にひしめいた人々が低くどよめき、つぎの瞬間、大きな波が砕けるように拍手がわいた。静御前は金色の長い帽子を被っている。腰には剣を差し、赤と白の綺麗な着物をまとっていた。片手にきらきらした扇。遠目だったので顔かたちはよくわからないが、服装と仕草のせいで、驚くほどの美人に見え、慎一は思わず背筋を伸ばした。

静の舞は、とても哀しげで、寂しげだった。静御前がうつむくと、その白い頬には涙さえ見えるようだった。よう、よう、という変な声も、妙なタイミングで聞こえてくる鼓や拍子木も、静御前が現れた瞬間から、この上なく彼女の舞に似つかわしいように思えた。──慎一は静の舞に見入った。

が、やがて飽きた。

「長いね」

やはり、大人向けのイベントなのだ。十分も経つと、あれだけ胸に迫っていた静の舞も、ただ舞台で綺麗な人が動いているとしか見えなくなっていた。隣に立った春也も、さっきからずっとよそ見をして、あの白い着物を着た女の人たちがいたほうへ目をやっている。

「祖父ちゃん、あっちにいた白い人たち何？」

「ああ、前座みてえなもんじゃねえのか？　さっきなんだか、横のほうで踊ってたな」

舞台の静御前に見入りながら、昭三は面倒くさそうに答えた。

鳴海も、踊っていたのだろうか。

静の舞が終わると、参道の露店でリンゴ飴でも買って帰ろうということになった。慎一は昭三を促し、鳴海がいたほうへと舞殿を迂回した。先ほど見かけたのが本当に鳴海だったのかどうか、ただ近くへ行って確かめようとしただけなのだが、人混みを避けながら右へ左へ進んでいるうちに、思わぬ至近距離で本人と目が合った。

「……利根くん」

鳴海はちょっと厭な顔をして、同じ着物を着ている人たちを短く振り返った。その仕草で慎一は、彼女がどうしてこんな恰好をしているのかはわからないが、とにかくクラスメイトには見られたくなかったのだと知った。うっすら土埃を被った白い足袋《たび》と、赤い鼻緒の下駄。松の木が織り込まれた銀色の帯を締め、胸元では何枚もの布地がYの字に重なっている。

「見てたの？」

「あ、いや見てない。踊りは見てたけど」

「見てたんだ」

「見てないって。見てたのは静の舞」

背後から昭三が「こんにちは」と柔らかい声をかけた。鳴海が頭を下げると、髪に刺さった銀色の飾りの先で、三つ並んだ鈴が透き通った音を立てた。

「祖父ちゃんと、春也といっしょに来たんだ」

「富永くん？」

「そう。——あれ？」

振り返ってみたら、春也がいなかった。どこへ行ったのだろう。

「いたんだけど」

鳴海に顔を戻す。どうしても、服装や髪型や、手に持っているものに目が行ってしまう。

「この恰好ね」

鳴海は諦めたような口調で自分から説明しはじめた。あまり友達などに話したことはないが、もう何年も舞踊教室で日本舞踊を習っていて、今日はその教室のメンバーで踊りを披露したのだという。

「今年、静の舞をやったのが、あたしたちの先生の友達なの。だからその関係で余興をやらせてもらうことになって」

そういえばこの前、鳴海は日焼けに気をつけているようなことを言っていたが、あれはこのためだったのかもしれない。

「上手だったよ、とっても」

さっきはろくに見もしなかったようなことを言っていた昭三が、明らかに適当な褒め言葉をかけると、鳴海はまた鈴を鳴らして軽く頭を下げた。小さく揺れる前髪の向こうで、薄く化粧をした顔が恥ずかしそうに微笑んでいる。

「久しぶりだねえ、鳴海ちゃん」

瞬間、どうして祖父が鳴海のことを知っているのだろうと慎一は訝《いぶか》ったが、すぐにはっとした。なんてうっかりしていたのだろう。あの事故のことを、慎一はまったく忘れていたのだ。細かい事情や感情はよくわからないが、きっとお互いに会いたくはなかっただろう。祖父を鳴海のところへ連れてくるべきではなかった。

「祖父ちゃん、春也を捜さないと。はぐれちゃったんだよ」

考える前に、言葉が口をついて出た。慎一は昭三のズボンを摑み、背後の人混みのほうへと引っ張った。昭三は口の中で何か言いながら慎一についてきたが、最後に鳴海を振り返り、そっと顎を引いた。

春也はすぐ近くにいた。

「何やってんだよ」

「あっこに蒔岡《まきおか》がおるで」

「え、どこ」

春也は参道のほうへ流れていく人々を顎で示した。同じクラスの蒔岡が、両親らしい二人といっしょに歩いている。肥満した、しまりのないその横顔を見た瞬間、慎一の腹の底がふつりと熱くなった。蒔岡は先ほど山の中で春也が名前を挙げた二人のうちの一人だった。鳴海と話しているところを見られなかっただろうかと、慎一は遠ざかる蒔岡の短い癖っ毛を睨んだ。

「鳴海」

すぐそばで、明るい声がした。そちらに目をやると、ジーンズにポロシャツを着た、背の高い中年の男が片手を上げながら舞踊教室の生徒たちのほうへ近づいていくところだった。

お父さん、と鳴海が嬉しそうに声を返す。

あの人――。

「ああ……俺ぁ、義文《よしふみ》さんにも挨拶してこねえと。慎一、ここにいてくれるか」

昭三は身体を左右に揺らしながら遠ざかっていった。

「しゅっとした親父さんやな」

あの人だ。

「なあ慎一」

あの顔。海沿いの道で、リアウィンドウ越しに見た横顔。母を助手席に乗せていた男の人。

鳴海も、鳴海の父親も、昭三も、行き交う人たちの向こうに見えなくなった。

第二章

（一）

　それを最初に聞いたのは春也だった。

「……やな」

　不意に顔を上げて春也が山を見上げたとき、慎一はその声がよく聞き取れなかった。表情だけで訊ね返すと、春也は少し苛立った声で言い直した。

「十王岩で聞こえた声みたいやって」

「何が？」

「だから、いまの音よ」

　言いながら立ち上がり、山のほうへ頬を突き出すようにして聴き耳を立てる。慎一も隣に並んで耳をすました。山の葉がざわついている。ときおり風が強まると、木々の枝のあいだを空気が走り抜ける鋭い音がする。灰色の空をバックに、木の生い茂った急勾配の斜面が、自分たちにのしかかってくるように見えた。

「なんにも――」

「しっ」

耳に神経を集中して、しばらく待った。風。背後から聞こえる波の音。ひっきりなしに葉が騒いでいる。

ひときわ強い風が海のほうから吹きつけて、山の斜面を一気に駆け上っていった。木々の葉が震えて葉裏を見せ、はるか先の頂上へその震えが行き着いた瞬間——。

低い、呻くような声が聞こえた。


鎌倉まつりから一夜明けたその日、慎一はまた手紙を受け取っていた。校庭の隅で飼われているチャボを、昼休みに見に行って、戻ってきたら机に入れられていたのだ。内容は、鳴海と「待ち合わせて」八幡宮で会っていたことをからかうものだった。

「気にしてもしゃあないやん、そんなん。……またヤドカリやわ」

春也がブラックホールを覗き込んで舌打ちした。

手紙を書いたのは、やはり蒔岡だろうか。しかし昨日の八幡宮には、蒔岡のほかにも何人かクラスメイトがいたようだ。今日は朝から教室のあちこちで、鎌倉まつりの話が聞こえていた。

怒りなら、まだ我慢ができる。しかし哀しさはどうにも堪えようがなかった。慎一を強い哀しみで捕らえたのは、鳴海とのことをからかった文章ではない。そのあとに、ついでのように付け足されていた一文だ。慎一の「じいさん」の足が、案山子《かかし》にたとえられて馬鹿にされていた。だんだんとクラスメイトが戻ってきはじめた教室で、慎一は手紙の文面を見つめながら胸が冷たくなった。

「アホやろ、そんなん書いてくるの。無視や無視」

大きな音を立てて、春也はブラックホールを岩陰に放り込む。強い風が吹き、二人のシャツの襟をばたつかせた。空は薄曇っていて、足を水に浸けていると長袖でも寒い。ゆうべ遅くに少し雨が降ったようだが、今日はまた天気が崩れるのだろうか。

学校からここへ歩いてくる途中、慎一は手紙の件を打ち明けていた。それからずっと、春也はこうした言葉をかけつづけてくれている。こんなふうに春也が慎一を気遣ってくれるのは珍しいことだった。

「五匹もおったわ。なんかもう、あぶり出すのも飽きたな。これどうしよ」

掌に載せたヤドカリたちを、春也はしばらく指でつついたりしていたが、何もいいアイデアが浮かばなかったらしく、シャツの胸ポケットに放り込んだ。

「うっわ、水が出てきよった」

眉根を寄せてポケットをつまみ、布地を肌から離しながら岸へ戻っていく。慎一もあとについた。靴下とスニーカーを履き、岩場に打ち上げられた髪の毛のような海藻を蹴飛ばすと、蠅が厭な羽音を立てて舞った。

海沿いの道路に視線を移す。ここへ来てから、慎一はもう何度もその道に目をやっている。鳴海の父親——義文の車は通らないだろうか。助手席に純江は乗っていないだろうか。

「お前のお母さん、料理上手やな。うちのお袋、あんなんよう作らんで。魚なんて、生か焼くかのどっちかやもん。なんやったっけ、昨日食わしてもらったあれ」

「ムニエル？」

「そやった？」

　ムニエルなどと気取って呼んではいたが、単に切り身に小麦粉をつけてフライパンで焼いただけのものだ。季節によって安い魚が決まっているので、純江はしょっちゅうそれを買ってくる。そして毎日味付けを変えて食卓に出す。こうして母の料理を褒めてくれているのも、春也の気遣いなのだろうか。それとも春也の母親は本当に料理があまり得意ではないのか。金のない家のほうが、むしろ料理などはいろいろと工夫しているのかもしれない。そういえば純江も、父が元気だった頃は、よく冷凍食品をあたためて出していた。

　昨日の鎌倉まつりのあと、春也が慎一の家で夕食を食べて帰ったのは、昭三がすすめたからだ。潮風で色褪せた屋根、硝子《ガラス》の罅《ひび》にガムテープが貼ってある引き戸、表面に苔のはえた外壁、そういったものを春也に見られるのは厭だったが、家に帰って純江と顔を合わせたら、慎一はどうしても鳴海の父親のことを口にしてしまいそうだった。だから昭三といっしょになって春也を誘った。春也は「ほんなら」と簡単に頷いて、家までついてきた。

　夕食を食べて帰ることを家の人に連絡しておけと昭三が言うと、今日は遅くなると話してあるから大丈夫だと春也は気楽そうに笑った。同い年なのに、そのとき慎一には春也がとても大人に見えた。

「この風やったら、今日は十王岩の呻《うな》り声、ずっと聞こえとるんちゃう？」

　痩せた咽喉をそらし、春也は風を見上げる。雲が速い。

「左から観音様、お地蔵さん、閻魔大王やったたっけ。あれ、どれが呻っとったのやろな」

岩に彫られた像の名前は、夕食のときに日本酒を飲みながら昭三が教えてくれた。

「岩全体が呻ってたんだよ」

「やぐらは呻らんのかな。十王岩より、あっちのほうがずっと呻りそうやけどな。だってあの穴、死体を放り込んどった場所なんやろ？　そしたら、その穴が呻るほうが、なんとなくそれっぽい気するやん」

やぐらという呼び名も、それがどういったものなのかも、昭三が教えてくれた。十王岩のそばにあったあの四角い部屋のような場所は、昔の墓の一種で、刑場で殺した罪人たちの死体を放置して鳥や獣に食べさせた場所なのだそうだ。

「やぐらの中に並んどった仏像、何でみんな首が取れとったのやろな」

「自然に取れたんでしょ」

「あんなにみんな、取れるもんかいな」

春也は片眉を上げて首をひねった。

慎一は春也から離れ、ごつごつした岩の上を歩いた。シャツがはためき、耳の中で風が鳴る。岩に囲まれた潮だまりを覗き込んでみると、風で水面に等高線のような襞が生じ、水の中でテングサが揺れていた。その奥には一見、何もいないように見える。しかし息を殺し、じっと観察していると、ときおり水底の砂利がぴくりと動くのがわかる。あちらにも、こちらにも、何かがいる。隠れている。そのうち観察に慣れた目に、メダカほどの大きさの黒いハゼが一瞬映る。

岩陰に小さな蟹の脚が覗く。砂利の中にはヤドカリの背中が紛れている。

ピンク色のイソギンチャクが岩に張りついて、水面が動くたび、潜ったり顔を出したりしていた。慎一は手を伸ばし、イソギンチャクに人差し指を吸わせてみた。きゅっと口がすぼまり、指先を柔らかく捕まえた。指を離すと、イソギンチャクは口の真ん中からぴゅうと海水を飛ばした。イソギンチャクに体温はないはずなのに、手首にかかったその水は、なんだか生温かい気がした。

あの日、母は鳴海の父親の車に乗せられてどこへ行ったのだろう。会ったのはあれが初めてだったのだろうか。母は父のことを忘れようとしているのか。それとも、本当はもう忘れていて、慎一や昭三の前では憶えているふりをしているのか。

潮だまりを見下ろしながら、慎一は一ヶ月ほど前に見たテレビ番組のことを思い出していた。早寝の昭三が床に入り、純江と二人で眺めていた報道番組で、癌に関する最新の研究が特集されていたのだ。ナントカ療法、カントカ治療など、理解できない話がつづいたあと、白衣の研究者が映った。英語で癌は「キャンサー」と言うが、蟹の「キャンサー」と綴りが同じで、それは人体を侵す癌組織が蟹の姿に似ていたからなのだと、その研究者は説明した。

父の痩せた身体——その皮膚の下を、もぞもぞと蟹が這い回るイメージが、あれからずっと頭の隅にこびりついて離れてくれない。同じ番組を見ていたはずなのに、母は平気なのだろうか。平気だから、何でもない顔をして蟹をまな板で叩き割ることもできるのだろうか。

どちらからともなく、慎一と春也はガドガドの裏へ向かった。

細長い、山を背にしたいつもの場所に入り込むと、風の音がふっとやんだ。

「何でこんなとこに入れたのやろ、冷たいわあ。アホやな俺」

裏口のステップに座り、春也は胸ポケットのヤドカリをばらばらと尻の脇に落とした。気持ち悪そうに、水が染みてしまったシャツの布地を引っ張る。そのときちらりと春也の胸が見えた。

「……どうしたのそれ？」

「なんて？」

「それ。その痣《あざ》」

シャツの向こうに見え隠れして、左の鎖骨の下に濃い痣があった。蒼白い肌に、鯖の背中のような色が浮いている。

「ああ……昨日やられてん」

シャツを戻して痣を隠し、春也は頬だけで笑った。

「何を？」

これやこれ、と言いながら春也は自分の掌に拳を二、三度叩き込む。それから誤魔化すように尻の脇のヤドカリたちを集め、おにぎりでも握る感じで両手の中に入れると、意味もなくがしゃがしゃと鳴らした。慎一のほうを一度も見ない。

「何でそんなことされたの？」

「昨日、お前んとこで晩飯食うの、家に言わへんかったやろ。だから」

「でも、大丈夫だって言ったじゃん」

春也は頷き、そのまま数秒黙り込んだ。

「うちの親父、気分屋やねん」

昼だけを動かすような言い方だった。同じ言い方で、春也は付け加えた。

「お袋も」

慎一は、ある出来事を思い出していた。あれは四年生の三学期——体育の授業がはじまる前の教室で、体操服に着替えていたら、春也の腹が極端にへこんでいるのが見えてぎょっとしたことがある。その日、春也は給食を三度もおかわりしていた。おかずをいっぱいに盛り直した皿を持って、自分の席へ戻ってきながら、春也はやけに明るい声で言っていた。

——寝坊して、朝飯食いそびれてん。

しかし、朝ご飯を抜いただけであんなに腹がへこむものだろうか。

「あぶり出そか」

五匹のヤドカリの中から一匹を選び、春也がライターを取り出した。慎一はズボンのポケットに手を入れて家の鍵を探った。

いつものように、二人はヤドカリをあぶった。十秒ほどで貝の口からびくりとハサミが飛び出したが、すぐに引っ込んだ。そのままなかなか出てこない。

「ヤドカリって、なんで貝殻に入っとるのやろ」

「敵に襲われないようにじゃない?」

「ま、そやろな」

まだ出てくる気配はない。中でゆだってしまうのではないかと思ったそのとき、ようやくヤドカリは上半身を覗かせた。しかしやはり、完全には出てこない。指先が熱くなってきたのか、春也は舌打ちをしてライターを放した。ライターは硬い音を立てて二人のあいだに転がった。春也はヤドカリに右手を伸ばし、指先でヤドカリの身体を捕らえた。しかしヤドカリは貝を放そうとしない。

「あれ、千切れてもうた」

貝の中に残ってしまったらしく、春也が引っ張り出したヤドカリには腹がなかった。濃い灰色の、鼻水のようなものを胸から垂らしたまま動かない。どうしてかその姿を見たとき、慎一の胸に唐突な寂しさが込み上げた。理由もなく、今朝の手紙のことが思い出された。海沿いの道で見た純江の横顔が思い出された。蛍光灯の光をつるりと跳ね返す昭三の義足が、痛々しい春也の胸の痣が、建長寺の法堂でがりがりに痩せたお釈迦様から目をそらしていたときの春也が思い出された。

遠くで波が砕け、強い風の音がした。

「……やな」

（二）

春也がふと顔を上げて山を見た。

「うっわ、ええ眺めやで」

少し先を進んでいた春也が、振り返ってぽかんと口をあけた。もう半分くらいは登ってきただろうか、二人ともだいぶ息が上がっている。肩越しに慎一も背後を見た。振り返るたび、海が広くなっていく。風が眼下の葉を鳴らして斜面を駆け上りながら、通りすがりに慎一たちの鼻っ面を殴りつけた。風はさらに上へと向かい、やがて頂上のほうから、巨大な化け物の口から発せられたような、あの呻り声が聞こえてきた。

「行くで」

新しい何かが欲しかった。

慎一も、たぶん春也も。

山道は建長寺の裏山よりもよほど急だった。もともと勾配がきつい上、場所によってはほとんど崖のような角度で斜面が切り立っていて、そういった場所では左右から突き出した枝を握りながら進んだ。上へ、上へ、上へ。一歩一歩足場を確かめながら。背後からひっきりなしに吹きつける風のせいで、建長寺の裏山へ登ったときに感じたような木々の瑞々しい匂いはしない。土の匂いもない。それでも慎一は足を動かしながら、全身で山の息づかいを感じていた。

「何が呻っとるのやろ」

答えるかわりに、慎一はいっそう大きく手足を動かした。距離が縮まったのを感じたのか、春也も先を急いだ。風が二人の身体を背後から持ち上げる。慎一は靴の裏が土から離れたように思い、ぐっと四肢を強張らせた。風の後ろ姿はみるみる頂上のほうへと遠ざかり、

「またや」

また聞こえた。何かが低く呻った。

「近いで。近い」

慎一に話しかけるような言い方ではなかった。春也のシャツは風で歪《いびつ》なかたちにふくらんで、まるで巨大な瘤を背負った化け物だった。自分もあんなふうになっているのだろうか。慎一は自分たちが何か奇怪な獣となり、見知らぬ国の見知らぬ斜面を這い上っているような錯覚をおぼえた。その気にさえなれば、土と岩を四つ足で蹴って、平らな地面を走るよりも速く、この山を駆け上っていけそうな気がした。

「ここ、階段みたいになっとるで」

頂上までもう少しという場所で、振り向きざま春也が声を上げた。

「でもこれ、人がつくったのとちゃうな」

その階段は、木の根でできていた。

山道を横切る太い根と根のあいだに、土が溜まり、ちょうど階段のようになっているのだ。二人はそれを上っていった。振り返らないでも、背後に灰色の海と灰色の空が広がっているのが気配でわかった。いま、風は小やみになっている。木々の葉は静まって、自分たちの足音がはっきりと聞こえる。

「なんやここ」

木の根の階段が緩やかになったかと思うと、急に視界がぽっかりとひらけた。ひらけたといっても、ガドガドの裏と同じくらいの広さだ。湿った地面のところどころを、いままで見てきたものよりもずっと太い木の根が、うねりながら横切っている。まるで巨大な蛇たちが、土に身体を半分埋めながら右へ左へ這い進んでいるようだった。その蛇たちのあいだに、あれは何というのだろう、不思議なかたちをした植物がぽつぽつと顔を出している。四枚の葉が茎から十字に突き出し、その真ん中に白くて小さな花が咲いている。

「慎一」

春也が何か見つけた。しかしその場を動こうとはせず、むしろ慎一のほうへ僅かに背中を寄せたかに思えた。ちょうど頭に遮られ、慎一には春也の見つけたものが何なのかわからない。鳩尾《みぞおち》のあたりがざわつくのを感じながら、横へ一歩動いた。

ひどく幹のねじれた木が、人が両手を掲げながら踊っているように、何本も立ち並んでいる。その木のあいだに、大きな岩がある。

「あの岩、人のかたちに見えへん？」

息の多い声で、春也が言った。

「人が、胡座《あぐら》かいとるみたいに」

しかし慎一は別の印象を受けていた。その岩は大きな顔に見えた。首まで土に埋められた、灰色の巨人の顔。

「あれ、雨水やろか」

地面に接している部分が前へ突き出し、そこに濁った水が見える。巨人が下顎を目一杯前に出し、尖った歯の内側に水を溜めている。不意に慎一の胸に、先ほど海辺で潮だまりを覗いたときの感覚がよみがえった。顔を上げる。風がやみ、物音ひとつ聞こえない。動くものは何もない。しかし、何かいる。あちこちに何かが隠れているような気がしてならない。いま、ぴくりと視界の端で木の枝が動いた。自分と春也の呼吸音に紛れ、背後で微かな息づかいが聞こえた。瞬間、物陰から木の幹ほどもある蟹の脚がのぞき、湿った土に爪を立てているという想像に囚われて慎一は振り向いた。しかし、何もない。何もいない。

「なあ、この岩――」

春也が何か言いかけたが、突然の激しい葉鳴りがその声を遮った。首をすくめて全身に力を入れると、直後、両足のあいだを風が乱暴に吹き抜けた。視界の両端に、風になぶられて震える自分の髪の毛が見える。茶色い葉が、ところどころに緑色の葉を交えながら前方へ飛んでいく。――岩が呻った。

いや、呻ったのははたして岩だったのだろうか。この場所全体が、虚ろな、地の底から響いてきたような太い声を上げたかに思えた。その声は地面から発せられ、スニーカーの底を抜け、踏みしばった両足へと伝わり、慎一の下腹《したばら》の中でうねるように反響した。耳から聞こえてくる音ではなかった。外側から聞こえてくる音ではなかった。自分自身がこの場所と一体となり、呻りを発しているようにも感じられた。

風がやんだ。

慎一と春也は互いに視線を合わせなかった。二人とも、ただ目の前の岩を見据え、黙り込んでいた。

春也がやがて足を踏み出し、そっと岩の凹みを覗き込んだ。慎一も、少し遅れて隣に並んだ。風の名残で、水面にでたらめな模様が浮かんでいる。岩に触れてみると、ざらりと冷たくて、鼻先に硬い鉱物のにおいを感じた。

「なあ……」

岩の凹みに目を落としたまま、春也が言った。

「ここ、秘密の場所にせえへん？」

どういう意味で言ったのかわからなかったので、慎一は黙っていた。

「俺、なんかやりたいねん」

その日、いちばん感情を抑えた声で、春也はつづけた。

「なんでもええねん」

(三)

翌日、ブラックホールにはヤドカリが三匹と、消しゴムほどの大きさの蟹が一匹と、ハゼの子供が一匹かかっていた。

「ええやん。ええメンバーやん」

春也はペットボトルの中を覗き込んで満足そうだった。

「水はどうする？」

「どうしよか。あっこの店で、ビニール袋もらえるんちゃうかな。俺、行ってくるわ」

ブラックホールを慎一に手渡すと、春也はひょこひょこと裸足で岩を踏みながら遠ざかっていった。岸でスニーカーを履いて道路へ上がり、ガドガドのずっと右手にある釣具屋のほうへ小走りに向かっていく。慎一はブラックホールを持ち上げ、煮干しをハサミで捕らえたままの蟹と、瞬間移動のように小刻みに動いているハゼと、振動に驚いて貝の中に引っ込んでしまったヤドカリたちを見た。あの岩で飼う最初のメンバーとしては、なかなかいい。獲れたのがまたヤドカリだけだったら面白くないと思っていたのだ。

自分たちだけの潮だまりをつくろうと言い出したのは慎一だった。

——なんて？

——潮だまり。あそこの岩の凹みで、何か飼えるんじゃないかと思って。

昼休みにそんな話をし、午後の授業が終わるのを待って二人で校門を出た。

釣具屋の硝子戸の前に、ぽつんと春也が見えた。こちらに向かって片手を上げ、何か見せている。よくは見えないが、透明なビニール袋を持っているようだ。上手くもらえたらしい。慎一はブラックホールを抱えたまま岸へ向かった。春也が戻ってきてガードレールをまたぎ、古タイヤと一斗缶の階段を下りてきた。

「二つもあればええ思ったのやけどな、いちおう三つもろてきた」

「ぜんぶ満タンにしてこう」

慎一と春也は手分けして三枚のビニール袋に海水を汲んだ。口をしっかりとしばり、春也が二つを持ち、慎一が一つとブラックホールを持ってガドガドの裏へ向かった。

「今日は、やっぱし呻らんやろな。あの岩」

「風がないからね」

水と生き物たちを手に、木々の隙間へ入り込んだ。

こんなに重い荷物を持ちながら頂上まで行けるだろうかと、少々心配していたのだが、登りはじめてみると傾斜は昨日よりずっと緩やかに感じられた。違う道を登っているのではないかと訝ったくらいだが、ときおり見憶えのある岩や木が現れたので、やはり同じらしい。道行きが楽に感じられたことで、なんとなく冒険の色が薄らいで、慎一は両足を動かしながら少し不満だった。

「風があったから、昨日はあんなに大変だったのかな」

前を行く春也が返事をしなかったのは、慎一と同じ心境だったからだろう。

木の根でつくられた階段を過ぎ、あの場所に出た。昨日とはうって変わって、頭上からあたたかい陽射しが降り注ぎ、乾いた地面にはモザイク状に葉影が落ちている。視界の中にも外にも、慎一は何の気配も感じられなかった。

無言のまま、春也が岩に近づいていく。おかしなことに、岩は巨人が埋まっているようにも、人が座っているようにも見えない。岩の左右で静止しながら踊っているあの木々も、太陽の光が不気味さをすっかり取り払い、ふざけているような姿に感じられた。足元に咲いている白い花も、ただの雑草としか思えない。

「この水、まず出そか」

二人で岩の凹みから雨水を汲み出した。両手でばしゃばしゃとすくって出していったのだが、その作業は案外すぐに終わった。ビニール袋の海水をそこへ流し込んでいくと、三つの袋のうち、二つを空け終えたところで凹みは一杯になった。

「それ取って」

「どれ？」

「それやて、ブラックホール」

ブラックホールを渡すと、春也は逆さに嵌め込んだペットボトルの先端を引き抜き、中身を凹みに注ぎ入れた。ゼリーのように滑らかな水が、陽射しを映してつるつると凹みに吸い込まれていく。ぽちゃ、ぽちゃ、ぽちゃ、と、ヤドカリや蟹やハゼが落ちるごとに水滴が散った。

「ええやん、なかなか」

それほどいいと思っている言い方ではなかった。岩の凹みの中で、ハゼの黒い背中が右往左往し、蟹は端のほうでじっと身を固めている。三匹のヤドカリは、なかなか貝から出てこようとしない。

自分たちの潮だまりを見下ろして、二人とも長いこと口を利かなかった。こんなものがどうして魅力的に思えたのか。慎一は数時間前の自分が不思議だった。

夕方まで、二人はそこにいた。水は頻繁に替えなければいけないとか、餌は煮干しで大丈夫だろうとか、そういった話をした。

（四）

翌日の昼休み、慎一はまた手紙を受け取った。

今回そこに書かれていたのは鳴海のことでも昭三のことでもなく、春也とのことだった。友達がいない者同士で遊んでいて可哀想だと、もっと馬鹿にした表現で、汚い、いままでと同じ字で書いてあった。チャボの見物から戻ってきて、机の中にそのノートの切れ端を見つけたとき、もう教室にはだいぶクラスメイトが戻ってきはじめていたが、慎一はわざとどこにも顔を向けず、勢いをつけて手紙を握りつぶした。その音で、何人かの視線が集まった。精いっぱいの抵抗として慎一が実行したのは、集まった視線を無視し、何でもない顔で五時間目の授業を聞くことだった。哀しい顔ができないというのはとても大変で、我慢のいることだと、慎一は初めて知った。新しい遊びに胸が躍っていた昨日ならば、きっとこんな手紙も気にせずにいられただろう。しかしあの遊びは、どうやら自分の世界を何も変えてくれそうにない。それを思うと、いっそう教室が灰色に見えた。

放課後、春也と二人で海へ行った。前もって言い合わせておいたとおり、どちらもビニール袋を持参してきていたので、それに海水を入れて山へ入った。

岩の凹みを覗き込むと、ハゼとヤドカリはいたが、蟹がどこかへ消えている。

「逃げたのやろか」

二人で岩の周囲を確認して回ったが、どちらもそれほど真面目に探しはしなかった。

「何か新しいの捕まえてきて、入れようか」

「そんなに増やしてもしゃあないやろ。ええて、これで」

春也はこの遊びが終わってくれることを、早くも望んでいるのかもしれない。何かをやりたいと言い出したのが自分だから、それを口にできないのかもしれない。

「水、替えるで」

「ぜんぶ汲み出す？」

「半分くらいでええやろ」

そもそも春也は、本当に自分といっしょにいたいのだろうか。生ぬるい凹みの水を両手で汲み出しながら、慎一は考えていた。自分に友達がいないことを可哀想に思い、こうして放課後の時間つぶしに付き合ってくれているだけではないのか。もしそうだとしたら、勘弁してもらいたい。春也に可哀想だと思われるなんて耐えられない。一人でいることが、自分はべつに、どうしても厭だというわけではない。わざわざ気を遣っていっしょに時間を過ごしてもらう必要などない。

春也には今日の手紙のことは話していなかった。二人ではじめたこの新しい遊びが、楽しいものであったなら、きっと話せたのだ。春也は手紙のことを笑い飛ばしてくれただろうから。しかし、もしいま話したとしたら、春也は笑い飛ばすかわりに、慎一を可哀想に思うだろう。そして、その可哀想な慎一と同じように見られている自分を恥ずかしく思うだろう。

土の上に胡座をかき、先日開通したという瀬戸大橋の場所を教えてもらったり、二ヶ月ほど前にニュースになった「9」の机事件の真相を二人で推理したりして、時間を過ごした。「9」の机事件というのは、どこかの中学校に男たちが侵入して、校庭に運び出した机で巨大な「9」の文字を描いていったという謎の出来事だ。宇宙人の仕業とされたり、ミステリーサークルと何か関係があると言う人もいたが、慎一は「9」はぜったいに野球に関係していると考えていた。春也の意見は、あれはじつは数字の9ではなく、お腹の中の赤ん坊の絵であるというものだった。どうして校庭にそんな絵を描いていったのかと訊くと、犯人グループはこの世に生まれてきたことを後悔している人間の集団なのだと言った。

やがて会話は途切れがちになり、まだそれほど日が傾いていないというのに、どちらからともなく膝を立てた。山を下りてガドガドの裏に出ると、互いに無意味な笑いを浮かべ、別れ別れに家路についた。

「こないだの、春也は元気か?」

家に帰ると、昭三が居間に胡座をかいて、もう酒を飲んでいた。お勝手で天ぷらを揚げる匂いがする。

「べつに、普通」

「普通か」

よほど面白い言葉を聞いたように、昭三は肩を揺らして笑う。

「天安門だよ、天安門。何でこんなのわかんねえんだ」

クイズ番組が進行しているテレビ画面に目を向けたので、話は終わりなのかと思ってお勝手に行きかけたら、またこちらに向き直った。

「こんだ、もっと美味いもん食わせるって言っといてくれ。俺のへそくりから、ちょっと出して、マグロのいいとこでも食わせてやるって」

「言っとく」

適当に頷きながら慎一は、春也の胸の痣を思った。もうここへは、春也は呼べない。

お勝手に入り、冷蔵庫から麦茶を出した。ガスレンジの前で、純江が菜箸を持った手を中途半端な位置で止めたまま、火にかけた天ぷら鍋にじっと顔を向けている。換気扇の音のせいか、慎一が帰ってきたことに気づいていないらしい。唇をゆるく結び、その目は天ぷら鍋の中ではなく、もっと別のものを見ているようだった。流し台の水切り籠から慎一がグラスを取ると、純江はさっとこちらに顔を向けた。

「なんだ、慎ちゃん。お帰り」

見られてはいけないところを見られたときのようなつくり笑いが、顔に浮かんだ。

その日、夕食を食べながら純江は、明日の夜は帰りが遅くなると言った。

「漁協の事務員さんたちの食事会に、お付き合いしなきゃならないの。ご飯はお祖父ちゃんと食べてね。作っておくから」

「遅くなるって、何時？」

深い意味もなく訊いたのだが、純江はその質問が意外だったようで、視線が一瞬宙に揺れた。

「そんなには、遅くならないと思う。ごめんね、慎ちゃん。お義父さんも、すみません」

「いいことだよ純江さん、忙しいってのは。食事会だって何だってさ」

あまり会話のない夕食だった。

食べ終えた皿を重ねていたら、居間の薄い窓硝子がびくんと鳴り、天ぷらを大事そうにつついていた昭三が、何かの気配を感じた犬のように頭を起こした。

「明日ぁ……吹くなあ」

慎一も純江も、黙って窓を見た。硝子が揺れただけで、明日の風のことなどどうしてわかるのか、慎一は不思議だった。

（五）

昭三が言ったとおり、翌日は風が強く吹いた。

「慎一、ヤドカリがおれへんで」

新しい海水のビニール袋を持って岩に行き着いたとき、最初に気づいたのは春也だった。凹みの中にいるのはハゼだけで、ヤドカリがどこにもいない。

「あ、でもそこの隅に一匹いる。白い殻のやつ」

「ほんまや。でもほかのはどこ行ったのやろ」

風に負けないよう、二人とも声を大きくして喋らなければならなかった。

「逃げたんかな、昨日の蟹みたいに」

とりあえず水を替えようということで、岩の前にしゃがみ込んで凹みの水を汲み出した。同じ作業なのに、背中から吹きつける風のせいでひどく難しく、両足にずっと力を入れていないと頭から岩に叩きつけられてしまいそうだった。二人がそうして水を汲み出しているあいだ、ハゼの子供は凹みの中で必死に逃げ回り、手の甲に何度もぬめった背中がぶつかった。

「あ」

春也が声を上げ、地面に膝をついて屈み込んだ。

「何?」

「ハゼ、すくってもうた。どこいった?」

「あ、そこ、それ」

「どこよ?」

「その根っこんとこ」

ハゼは岩の脇に生えた木の根のあいだで黒い身体を震わせていた。水の中にいたときよりも、ずいぶん小さくなったように見えた。春也はそれをすぐさまつまみ上げようとしたが、滑ってしまい上手くいかない。何度も失敗してから、こんどは右手の指の腹で弾くようにして、左手の上に跳ね上げてみると、ようやく拾えた。しかしそのときにはもう、ハゼは天ぷらにされる直前のように、全身に白ちゃけた土がまぶされて、ほとんど動かなくなっていた。

「これ、もう駄目やろか」

「水に戻しても、死んじゃうかもね」

「ええかな、放っても」

慎一が頷くと、春也はハゼを灌木の中に投げ捨てた。

凹みの中には、とうとうヤドカリ一匹きりになった。

「こいつはしかし、えらい落ち着いとるのう」

だいぶ少なくなってきた水の中で、白い貝を背負ったヤドカリがこちらを見上げている。先ほどからいくら二人が水をばしゃばしゃやっても、逃げようともしなければ殻に引っ込もうともしない。ときおりハサミをゆらゆらと揺らすくらいで、あとは小さなまち針のような目で、水の中からじっとこちらを眺めているのだった。

「弱っとるのやろか」

「歳なのかもね」

慎一がそう言ったのは、ヤドカリの顔の両脇から垂れた二本の触角が、普通のものよりも少し長い気がしたからだ。ヤドカリの成長のことはよく知らないが、慎一にはその長い触角が歳をとった証拠のように思えた。触角の色が白く、ちょうど髭に似ていたせいもある。

春也が凹みの水に人差し指を浸《ひた》し、そっとヤドカリに近づけていった。ヤドカリは動じない。とうとう春也の指先がその顔に触れると、ようやく殻の中に身を引っ込めたが、ひどくのろのろとした動きだった。

「ほんまに歳なんかもな」

言いながら春也が指を水から出すと、

「あれ、出てきよった」

驚いたことに、ヤドカリはすぐさま殻からまた顔を出し、二人を見上げるのだった。

春也がふたたび水に指を入れる。こんどは指をすぐには近づけず、じらすように、ゆっくりとヤドカリの周囲をめぐらせた。ヤドカリの目のあいだには、顔の脇から伸びているものよりも短い触角が二本あり、その先が春也の指の動きをじっと追った。

「京都のお祭りで、こんなん見たことあるわ」

「こんなんって？」

「こんな顔よ」

春也はヤドカリの顔を指でつついた。ヤドカリは一度引っ込んだが、やはりまたすぐ出てくる。

「えびす祭いう、えべっさんのお祭りがあってな、七福神の恰好した人たちを乗っけた船が、八坂神社から町の中を進んでいくねんか。その中に、こんなんおった。七福神の中に」

「ヤドカリみたいなの？」

「ちゃうて。こんなふうに、鼻の横から白い髭を垂らしたのがおってんか、二人」

そういえば七福神の中には老人の恰好をした神様が二人いた気がする。

「その船が通るときにな、親父とお袋に、拝め言われてん。けど俺、そのおじいさんの髭がおもろくてしょうがなかってんか。そんで、ずっと一人で笑っててんか。そしたらな、親父に頭はたかれた」

凹みの底を眺める春也の目は、もっとずっと遠くを見ているようだった。

「はたかれたいうてもな、そのときは笑いながらやってん。昔はそうやってん。笑いながら嬉しそうに、ぱしんって俺の頭はたいて、俺も厭やなかってんで」

ゆっくりと一度、春也は瞬きをした。

見えない水が、不意にひたひたと胸に染み込んできた。何か言いたかったが、何を言っていいのかわからない。慎一は凹みの中が気になるふりをした。

やがて、春也が小さく笑ってこちらに向き直った。

「これ、ヤドカリやなくてヤドカミやな」

明るい声だったので、慎一も同じ声を返した。

「神様に似てるから？」

「そう、似とるから」

凹みに顔を戻し、春也はわざとらしく生真面目な調子でつづける。

「この岩の凹みに入れとったせいで、神様になったのかもしれへんで。だってこいつ、昨日は普通やったやん。ほかのヤドカリとおんなじように、ちょっと触ると驚いて引っ込んだりしてたやろ」

「神様になったから、こんなに落ち着いたのかな」

「そう思うわ。やっぱしこの岩、なんかそういう力があったのかもな」

水の中で、ヤドカリは白い髭をゆらゆらと揺らしている。

「なあ、これあぶり出さへん？　神様、出してみたいやろ」

春也はズボンのポケットからライターを取り出した。

「でも、風が強いから」

「つかへんかな」

シュッと石を鳴らして春也はライターに火をつけようとしたが、炎はたちどころに消えてしまう。

「岩の裏だったら、風も弱いんじゃない？」

「行ってみよか」

凹みの水に右手を入れ、慎一はヤドカリの貝をつまんだ。まったく動かない。貝を持ち上げて水から出してみると、ようやくのろのろと身体を引っ込めたが、それでも完全には入ろうとせず、やぶにらみの両目と白い触角が、まだ貝の口から覗いていた。

「ええやん、ここ」

初めて見る岩の裏側には畳一枚分ほどのスペースがあった。すぐ先で地面が急角度に落ち込んで崖のようになっているので、慎一と春也はなるべく岩の近くに座った。木々の騒ぐ音は相変わらずつづいているが、岩の陰に隠れたことで風はほとんど当たらない。雲が、頭のすぐ上を走っていく。

慎一はポケットから家の鍵を出し、手近な落ち葉を巻いた。ヤドカリを逆さまにして四角い穴に載せる。白いヤドカリはやはり中途半端に引っ込んだまま、薄曇りの空をじっと見上げている。春也がライターを鳴らした。風が完全に当たらないというわけではないので、二度、炎は吹き消された。左手で風を防ぎながら火をつけると、いくらか揺らぎはするが、今度は消えなかった。

「ええで」

炎の真上に鍵を移動させた。まだ、ヤドカリは貝の口から顔を出したまま空を見上げている。たくさんの短い触角が集まったような口が、小さく蠢《うごめ》いている。

「神様、何か言うとるやん」

御守りの袋をこっそり開けてしまうときのような、妙な昂ぶりがあった。

「お、出てきたで」

諦めたような動きだった。脚の一本一本を、仕方なしに動かしているように貝の外へ出していく。細かな模様のある小さな胸が見え、膿《う》んだようにぶよぶよした腹が現れ、それからヤドカリの全身がぽとりと地面に落ちた。

「……動かへんな」

しかしそれは普通のヤドカリのように走り出したり歩き出したりしないという意味で、口は相変わらずごにょごにょと蠢いているし、八本の脚も、自分が落ちた地面の感触を確かめるようにもぞもぞ動いている。そして木琴の桴《ばち》みたいな二つの目で、やはり慎一たちのほうをじっと見上げているのだった。

ぱん、ぱん、と春也が顔の前で手を叩いた。

「神様やしな、拝んどこ思て」

前髪を風に揺らしながら、薄ら笑いで手を合わせ、目を閉じる。数秒、その顔には笑いが残っていたが、あるときふっと唇が結ばれて神妙な顔つきになった。つり込まれるようにして、慎一も両手を合わせて目を閉じた。明るい景色が眼前から消えてなくなると、春也と二人してどこか山奥の寺にでも籠もったような気分だった。

《何か、願い事せえへん?》

春也の声は、狭い部屋で囁かれたようにはっきりと聞こえた。

《願い事?》

自分の声も、胸の中で別の誰かが喋っているようだった。

《せっかく神様なんやから》

《べつにないよ、願い事なんて》

《あるやろ、なんか》

《じゃあ……》

答えが浮かぶまで、少し時間がかかった。

《じゃあ、お金が欲しい》

《なんやそれ》

春也は馬鹿にしたように笑う。

《だって、何も思いつかないから》

《ヤドカミ様、ヤドカミ様、どうか慎一にお金をくれてやってください》

芝居がかった口調で言い、春也は、ぱん、ぱん、とまた手を叩いた。慎一は目を閉じたままでいたが、春也の手拍子が終わってから、自分の動きを待つような間があったので、真似して両手を二度叩き合わせた。

「……あれ、動いとるやん」

春也の声に目を開けると、剝き出しのヤドカリは、先ほどの場所よりも少しだけ慎一に近い場所にいた。腹の曲がった左右非対称の身体で、ぎくしゃくと前進している。

「どこ行くのやろ」

「貝殻を探してるんじゃやない?」

そういえば、ヤドカリが入っていたあの貝殻はどうしたのだったか。足元を見てみると、慎一の鍵だけがぽつんと落ちている。

「春也、そこ」

白い貝殻は、春也の右足の後ろにあった。風で転がったらしい。

「なんて?」

「それ、そこにある」

慎一が指さすと、春也は腰を上げながら後ろを振り返り、スニーカーの踵《かかと》が貝殻にぶつかった。貝殻は音もなく跳ね上がり、急角度で落ち込んだ地面の縁を越えて見えなくなった。慎一は思わず腰を上げて身を乗り出したが、ほぼ同時に春也がシャツの背中を摑んだ。

「落ちるて!」

「でも貝殻――」

「ええて、そんなん。アホちゃうか」

ザッと周囲の葉が騒ぎ、慎一と春也は条件反射のように地面にしゃがみ込んだ。直後、強い風がものすごい勢いで二人の上を通り過ぎた。土埃がぱちぱちと肌にぶつかり、シャツの襟が頬をはたき、すぐ背後で岩が低い呻りを聞かせた。這いつくばり、慎一たちは風が通りすぎるまでじっと耐えた。

「あっぶなかったでぇ……」

風がおさまると、柔らかい布団をかけられたように全身から力が抜けた。ヤドカリを見てみると、まだ同じ場所にいる。

「殻、落ちちゃったね」

「かまへんて。何がなんでも必要いうわけやないのやろから。このまま水に戻しとけばええて」

「平気かな」

「平気やて、ただの殻やん」

明日にでも新しい貝殻を持ってきてやろうということになり、けっきょくヤドカリは剝き出しのまま凹みに戻した。つまんで水の中に落としてやると、宇宙飛行士のようにゆっくりゆっくり落ちていき、静かに底へ着地した。

気がつけばあたりの景色が薄暗くなっている。時間がわからなかったので、そろそろ山を下りようということになった。もうだいぶ慣れてきた山道を下りながら慎一は、春也が乱暴にシャツを引っ張ったときの感触が、まだ背中に残っている気がした。前を歩く春也の背中を見やりながら、岩か木の根にでも足をとられて、春也がつまずかないだろうかと思った。いつもより距離を縮めて歩いていたので、いまなら慎一はいつでも春也のシャツを摑むことができた。

（六）

「鳴海のお父さんって、何してる人なの？」

翌日、一時間目が終わった休み時間に慎一は訊いてみた。

「普通のサラリーマンだよ。何で？」

女友達同士でやっているらしい交換日記を、それとなく閉じながら、鳴海は軽く笑って訊き返す。

「いや……春也がなんか、気にしてたから」

「気にしてた？」

「あ、気にしてたっていうか、このまえ八幡宮で会ったでしょ。そのとき、鳴海のお父さんって何してる人なのかなって」

これはゆうべ考えて決めた言い訳だった。春也と鳴海が学校で喋っているところはほとんど見たことがないので、きっとばれないだろう。

「なんだろ、富永くん」

鳴海は春也の席を見た。春也はトイレにでも行ったのか、教室に姿はない。

「会社、どのへんにあるの？」

「すぐ近くだよ。海沿いにほら、レストランがあるでしょ、一階が駐車場になってて宙に浮いてるみたいなお店。その道をずっと入ってくと、右側におっきいビルがあるじゃない。そこがそう」

淀みなく喋ってから、鳴海は父親の働いている会社の名前を教えてくれた。慎一でも知っている社名だった。全国的に有名な硝子メーカーで、何度かテレビＣＭも見たことがある。窓硝子もグラスも、置物の硝子細工もつくっている会社だ。慎一は黙って話を聞いていたのだが、社名を知っていたのが表情に出たようで、鳴海の口調は途中から少し得意げになった。

「部長なんだって、お父さん。忙しいみたいで、たまに日曜も仕事に行ってる。でも休みのときは、あたしと自転車乗りに行ってくれたりするよ」

「ああ、言ってたよね、この前」

「言ったっけ」

鳴海は小首をかしげた。橋の上で会ったあの夜のことは、強く慎一の胸に残っていたので、会話を忘れられていたのが悔しかった。

慎一の沈黙を、話のつづきを待っているものと取ったのか、鳴海は父親の仕事を説明しはじめた。日中、会社にいることは珍しく、いつも車で県内の支部を回り、社員の働きぶりをチェックしたり、ほかの会社の人たちと会って、いろいろ難しい話をしているらしい。鳴海の両手は喋りながらよく動いた。その手ばかりを見ながら、慎一は話を聞いていた。

「夜遅くなることがけっこうあるから、一人で寂しいんだよね。昨日もずいぶん遅かったし」

「昨日は――」

何時頃帰ってきたのかと訊きかけ、慎一は慌てて言葉を呑み込んだ。

「そういうときは、晩ご飯も一人で食べるの？　一人のときは」

「テレビがあるけどね」

チャイムが鳴り、二人は壁の時計に目をやった。

ゆうべ、純江は十時を過ぎた頃になってようやく帰ってきた。昭三は居間でうたた寝をしていて、慎一は部屋に自分で敷いた布団の中で、暗い天井を見つめていた。玄関を入ってきた純江は、襖のあいだから部屋の中をちらりと見ただけで、すぐに居間のほうへ向かった。目を醒ましたらしい昭三が、何か言うのが聞こえた。純江の返事は静かで、言葉少なだった。身を起こし、襖の陰から首を出すと、純江が卓上の皿を片付けているのが見えた。夕食後、慎一は自分の分を流し台に運んだのだが、昭三はまだおかずが残っているうちにうたた寝をはじめたので、皿がそのままになっていたのだ。

――洗うの、明日でもいいですか？

純江の顔は、朝顔の暖簾に隠れて見えなかった。

――いいよ純江さん、そんなん俺がやっとくから。

皿同士の触れ合う音が、ひどく遠くに聞こえた。

——明日の朝やります。ちょっと疲れたから、今日はもうお風呂に入って寝ちゃおうかと思って。

——疲れてんなら、風呂も明日にしなよ。早く起きりゃいいんだから。風呂でうたた寝でもしたら危ねえよ。

しばらくすると、純江の足音が近づいてきたので、慎一は素早く布団に戻って目を閉じた。純江は暗がりの中で箪笥を探り、寝間着を取り出すと、また出ていった。廊下の反対側にある風呂場から、洗面器で身体にお湯をかける音が聞こえてきた。慎一は布団の中で、意味もなくその音を数えた。

（七）

「すぐ岩に行く？」

「いや、まずヤドカミ様の新しい殻を探さんと」

「あそうか」

慎一と春也は浜に下りた。空はよく晴れ、風がまったくないせいで、潮の匂いが鼻だけでなく肌にも感じられるほど強い。

適当な貝殻が、すぐに三個ほど見つかった。ついでにブラックホールを見てみたら、カタクチイワシが四匹かかっていた。

「うは、とれたやん」

「やっぱり回ってきてたんだよ」

二人はカタクチイワシを手で捕らえ、かぶりつく真似などをしてしばらく遊んだ。そうしているうちに弱ってきたので、海へ投げた。

やがて春也が水切りをしようと言い出し、二人で回数を競ったが、春也のほうがずっと上手だった。なるべく平たい石のほうが水面で跳ねやすいので、二人はちょうどいいかたちの石を探してそれぞれ岩場を歩きはじめた。

「…………」

春也が何か言った。振り向いてみると、意外に距離がある。二十メートルほど向こうから、春也は慎一のほうを見ていた。

「何？」

訊き返したが、春也は答えず、つつくようにして自分の足元を指さした。え、と首を突き出しても、無言のまま手の動きを速くするばかりだ。何か見つけたのだろうか、顔がびっくりしている。岩を踏んでそちらへ向かうと、春也は屈み込んで、潮だまりの中から何か銀色のものを拾い上げた。はじめは、外国の硬貨かと思った。が、顔を近づけてみると、それは五百円玉なのだった。

「え、落ちてたの？」

「石、探しとったら見つけた」

「本物かな」

「本物やろ」

「見して」

慎一は春也の手から硬貨を受け取って眺めた。自分で使ったことはほとんどないが、五百円玉というものができてからもう数年経っていたので、それが本物であることは慎一にもわかった。

「これ、昨日のあれちゃう？」

「あれって？」

「ヤドカミ様よ」

そのときになって、ようやく慎一は思い出した。そう、自分たちは昨日あの岩の裏で、剝き出しのヤドカリに向かって手を合わせたのだった。

突き上げるような興奮が咽喉元までせり上げた。

「すごいよ、ほんとにお金拾ったよ」

ついで、タワシでこすられたような戦慄が背中を走った。

「五百円やで、すごいで」

「何か買いなよ、すごいよ」

「すごいでほんま」

すごいという言葉を言ったり聞いたりするたびに、すごさは増していった。全身がぞくぞくして、両腕に鳥肌が立った。

「これ、何買うたらええやろ」

「お菓子とか、何でも買いなよ」

慎一が返そうとした五百円玉を、春也は受け取りかけて、ふと手を止めた。

「でも、これ俺の金やないんちゃう？」

「何で？」

「だって俺、昨日そう言わへんかったっけ。慎一にお金をくれてやってくださいとか」

たしかにそう言っていた。

「いいよそんなの、春也が見つけたんだから」

「そやけど」

「使えばいいじゃん」

「ほんなら、こうせえへん？　二人で何か買うて、お釣りをお前がもらういうのは？」

一瞬迷ったが、なかなかいい解決方法だと思った。

「春也がいいんなら」

「ええて」

二人は砂浜へ戻ってしゃがみ込み、五百円でいったい何を買おうかと話し合った。相談はなかなかまとまらなかったが、まとまってからは早かった。よし、と同時に腰を上げたその十分後、二人は大通りのスーパーへと駆け込んで、大きくて甘そうなイチゴを一パック買っていた。

百数十円のお釣りを慎一がポケットに入れ、また海へ戻ってくると、イチゴを海水で適当に洗った。

「あっこの裏で食べよか」

「いいね」

ガドガドの裏まで走った。いつもの場所に慎一が座ろうとすると、まだ興奮した顔に、少し照れ笑いのようなものを浮かべて春也が言った。

「なあ、やっぱしここやなくて、上で食わへん？」

「岩のとこで？　いいじゃん」

競うようにして木のあいだに走り込み、二人であの岩を目指した。

「やっぱしあれ、神様やったんやな。ヤドカミ様や」

「お礼言わないとね。イチゴ食べるかな」

「食うかいな」

両足にバネでも入ったように身体が軽かった。薄い雲をちりばめた春の空も、土に映るジグソウパズルのような葉影も、その影を踏む自分たちの両足も、振り返る度に広くなっていく海も、慎一はすべてが好きだった。目の前を行く春也の背中も、息を切らしている自分自身も、ぜんぶが好きで好きでたまらなくて、イチゴのパックを胸に抱えたまま大声を上げたかった。そして、もしいま本当に声を上げたら、春也がびっくりして振り返り、慎一がビールケースに埋もれたときのように、両目を大きくして首を突き出すだろうと想像し、おかしくて仕方がなかった。

いままでで一番早く、二人はあの場所までたどり着いた。凹みの水に反射した太陽の光が、ごつごつした岩の表面にアメーバのような模様を描いていた。

「あれ、ヤドカミ様、おれへんで」

水の中を覗いて春也が声を裏返した。

「隅っこに隠れてるんでしょ？」

「おれへんて、見てみいな」

地面に膝をつき、水面に顔をつけるようにして凹みを隅々まで覗いてみた。たしかにどこにもいない。

「出ていったのかな」

「探してみよか」

蟹が行方不明になったときよりもずっと真剣に、二人はヤドカリの姿を探した。注意深く足元を見ながら、腰を屈めて歩き回り、ときおり立ち止まっては地面に顔を近づけた。

「おった！」

「どこ？」

白い触角のヤドカリは、岩から三メートルほど離れた土の上にいた。白い花を咲かせたあの草の、真っ直ぐな茎にもたれかかるようにして、干涸《ひか》らびて死んでいた。赤蟻が何匹か、相談するように周囲に集まっている。指でつついてみると、ヤドカリはすっかり硬くなっていて、ハサミの先に触れただけで全身が動いた。

「ご愁傷様やな」

春也が死体の脚を持ってつまみ上げ、へばりついていた赤蟻を息で吹き払った。そのはずみで、つまんでいたヤドカリの身体が揺れた。

「うっわ、もげた」

春也の指に脚一本だけを残し、ヤドカリは地面に落ちた。

土の上に転がった七本脚のヤドカリを、慎一は拾い上げた。表面を残して中身がすっかり抜け出てしまったように、ひどく軽い。全身が硬くて、爪の先が尖っていて、昆虫の死骸に似た感触だった。顔を近づけてみると、珍味のような臭いがする。

「俺たちの願いを叶えて、自分は死によったのやな」

「死んだから願いが叶ったのかもしれないね」

いかにも力尽きたというように固まっているヤドカリの姿から、慎一は思いつきでそう言った。しかし、掌の上のヤドカリをじっと見下ろしているうちに、なんだかだんだんと本当にそんな気になってきた。——真夜中、月明かりに照らされたこの場所で、ヤドカリがそのそと凹みから這い出していく。這い出たヤドカリは、岩肌を少しずつ、少しずつ進んでいき、やがて土の上に行き着くと、黒い両目で月を見上げながら、じりじりと、目的があるような足取りで、どこかへ向かって歩きはじめる。短い触角が集まった口が何か呟いている。冷たい腹が地面に引き摺られ、はじめのうちは水の跡を残していたが、徐々に身体が乾いていき、線はかすれて見えなくなる。それでもヤドカリは歩きつづけ、しかしあの白い花を咲かせた草の下で、とうとう力尽きる。月を見上げたまま、最後に何か一言呟いて、しんと動かなくなる。

「食べよか」

地面に胡座をかいて向かい合い、二人でイチゴを食べた。ぬるくなっていたことで、逆に甘みが強く感じられた。なるべくヘタの近くまで齧ろうとするせいで、果肉には青臭い味が混じったが、それがかえって瑞々しさを加えた。食べながら慎一は、ときおりあのヤドカリを見た。春也のほうは黙々とイチゴを頬張っていたが、それでも頭の中でやはり同じヤドカリを見ているのがわかった。イチゴは知らない果物のように舌の上で溶け、とろとろした果汁が口の中へ染み込んで全身に広がっていった。胸が高鳴り、それに合わせて全身がいきいきと脈打ち、何かずっと欲しかったものが、もうすぐ手に入りそうだと感じたときのように、慎一はひどくそわそわした。

第三章

（一）

「七……ラッキーセブン」

鰺《あじ》のひらきを箸でほじくっていると、座卓の向こうで昭三が呟いた。眉毛を抜き、それを湯呑みの脇に並べて数えている。

「五本じゃん」

「そっちからだと、白いやつしか見えねえんだろ。ほれ、ここと、そいからここ」

「あ、七本か」

と言ってみたものの、だからどうというわけでもなく、慎一はご飯を頬張ってテレビに目を向けた。昨日の夜からもう何度も同じニュースが繰り返されている。

あの「９」の机事件の犯人たちが捕まったのだ。宇宙人だミステリーサークルだと世間を騒がせ、野球に関係しているだとか、お腹の中の赤ん坊の姿だとか、さんざん自分たちの想像を掻き立てた謎の出来事も、じつはただ不良グループが面白半分にやっただけだったとわかり、慎一はがっかりしていた。

しかし、今日の放課後のことを思うと、そんな落胆は綺麗に吹き払われる。このところ雨がつづき、あれから山へは登れていなかった。春也と二人でガドガドの裏までは行くのだが、互いにときおり山のほうを見上げ、何でもない話をしながらしばらく雨の音を聞き、もやもやした思いで傘をさして家に帰ってくるだけだった。

金曜日の今日、空は文句なしに晴れている。

純江は先に朝ご飯を食べ終え、部屋で鏡台に向かっていた。このごろ母は、化粧を終えたあとも、しばらく鏡の前にいることが多い。じっと自分の顔を眺めていたかと思えば、ときおり何か知らないものでも見つけたように、ふと鏡に顔を近づけたりする。晩ご飯のあとなども、以前のようにすぐに片付けをはじめないで、膝に置いた自分の手をぼんやりと見つめていることがあったし、気のせいか、夜の風呂の時間も長くなったように思える。昨日、慎一は家の鍵をズボンのポケットに入れたまま洗濯籠に放り込んでしまったのを思い出し、純江の入浴中に脱衣場へ取りに入った。磨り硝子の向こうで、母の影はじっと動かなかった。


その日の授業はひどくゆっくりと進んだ。もう十分くらいは経ったろうと思って時計に目をやると、まだ五分も経っていない。それを何度も何度も繰り返し、いつもの倍以上の時間をかけて放課後はようやくやってきた。

「まずは海で新しいヤドカミ様を捕まえんと」

「一匹でいいかな」

「いや、なんぼか入れとこ」

海沿いの道を歩く二人の足取りは競争のように速まっていた。行く手のアスファルトは太陽に照らされて白く光り、その向こうにぽっこりと緑色の山がふくらんでいる。こうして遠くから見ると、山はなんだかつくりもののようで、一枚一枚かたちの違う葉や、苦い匂いの土や、ヤドカミ様の岩や自分たちの潮だまりがそこにあるとはとても思えない。そのことが、人の目から上手く秘密の場所を隠しているように思え、慎一は嬉しかった。

「そや、ええもんあんねん」

途中、春也が自分のスポーツバッグを開けて中を見せた。家から持ってきたらしい透明なビニール袋が何枚か入っている。

「水を入れる袋でしょ？」

「それもそうやねんけどな、こっち、これ」

ビニール袋の脇に、もう少し薄いビニールに包まれた、四角い鼠色のものがあった。何かと思えば油粘土だ。

「図工室から盗んできたった」

「何に使うの？」

「ビニールで、あの凹みに蓋してな、粘土で隙間を埋めるねん。そしたらヤドカリが逃げ出さへんやろ」

「あ、いいね」

「それとな、もう一つ考えがあんねやんか」

バッグのファスナーを閉じ、春也は前方の山を睨みつけるように見ると、だしぬけに妙なことを言い出した。

ヤドカミ様を焼いてみようというのだ。

「焼く？」

聞き違いかと思って訊ね返したが、そうではなかった。春也はなにやら自信ありげに顎を引き、用意してきた説明を聞かせる口調で話しはじめる。

「正月のあと、神社でやっとるあれといっしょや。注連縄《しめなわ》とか門松とか焼いとるの、見たことあるやろ？」

「どんど焼き」

「とんど焼き。俺んとこではそう呼んでてん。前にテレビでやっとったのやけどな、あのとんど焼きって、正月中に注連縄とか門松を通じて迎えた神様を、それを焼くことで、また空に帰しとるのやて。だから俺、ヤドカミ様も、そうやって焼いたらええのやないかと思うねん。だって、火ぃで焼いたら、中から神様が出てくるいうことやろ？」

慎一は即座に頷いたが、それは春也の言葉を理解したからではなく、早く話のつづきを聞きたいからだった。

「俺な、何で海で五百円玉見つけたんか、あれからずっと考えててん。そんでな、こういうふうに思っててんか。あれはやっぱし、ヤドカミ様が死んだからやないかって。自分が犠牲になって、俺たちの願いを叶えてくれたんやないかって。あの死体、なんや、中身が抜けたような感じゃったやろ？」

山の上で慎一が受けたイメージと、それは同じだった。

「えらい軽かったし、腹もしぼんで硬くなっとったやん。あれたぶん、ヤドカリの身体が死んだことで、中から神様が出ていったからやないかと思うねん。出ていって、俺たちが見つけそうな場所に、お金を落としといてくれたんやないかって。でも、いつも上手いこと死んでくれるわけやないやろ？　こないだは、たまたま死んでくれたからええけど、そういうときのほうが少ないやん。だから――」

「僕たちで殺しちゃうの？」

「そうやないねん。殺すのやなくて、火ぃを使って神様を出すねん」

自分たちの遊びにはいつも変化が必要だということを、二人ともよくわかっていた。だから春也はことさら真剣な声で語ったし、慎一も真剣に聞き入った。理屈など、どうでもよかった。正月、注連縄、門松――そういった言葉を聞いただけで、もう十分に、自分たちがこれからやることがひどく神秘的な儀式であるように思えた。右手に海が広がった頃には、慎一の頭の中にはもう、ライターの炎の中で身体を縮こませるようにして焼かれていくヤドカリと、そこからすっと抜け出ていく何か半透明のものの姿が、はっきりと浮かんでいた。

一斗缶と古タイヤの階段を、二人は前後して駆け下りる。ブラックホールを覗くまでもなく、ヤドカリは潮だまりを歩けばいくらでも見つかった。一匹見つけては手の中に握り込み、もう一匹見つけては握り込んでいく。太陽が海面に反射して、海が広がったほうだけ顔があたたかい。

「いま何匹や？」

「四匹。そっちは？」

「五匹。ええか、こんなもんで」

ビニール袋に海水を入れ、九匹のヤドカリもそこへいっしょに放り込んで口を縛った。ガドガドの裏へ移動し、交互にビニール袋を担ぎながら山道を登った。

あの岩までたどりつくと、二人は凹みの水を汲み出して新しい海水を流し込んだ。九匹のヤドカリも水といっしょにぼとぼとと落ち、しばらくすると殻から顔を出して水底をうろつきはじめた。空になったビニール袋は今後も使い回そうということで、水を切って春也のバッグに仕舞った。

「どれがええかな」

「その大きいやつは？」

黒い殻を背負った、ハサミの大きなヤドカリを指さすと、春也がそれを凹みからつまみ出した。岩の後ろへ移動して、二人して地面に座り込み、慎一が家の鍵を取り出してヤドカリを載せた。

「おっほ、もう出てきよった」

よほど元気のいいヤドカリだったのか、春也がライターであぶりはじめると、十秒ほどで早くもそれは殻から飛び出してきた。地面に落下するや、八本の脚を猛スピードでばたつかせて走りはじめる。

「神様なんやから逃がしたらあかんで。ほら捕まえんと！」

ヤドカリが向かってきたので、慎一は素早く右の掌を被せた。親指の付け根あたりを、ハサミだか頭だかで、つづけざまにつついてくる。

「どうすんの、どうすんの」

しかし春也も、ここからどうするかはとくに考えていなかったようで、「捕まえんと、捕まえんと」と、もう慎一がやっていることをしきりに繰り返すだけだった。そうしているうちに、ヤドカリの動きは少しずつ緩慢になっていき、やがて掌の下で、様子を窺うようにじっと固まった。

身体のどこかが、まだ慎一の肌に触れている。

「……いま止まってる」

「いったん手ぇどけて、指で捕まえよか」

「それでどうすんの？」

「あ、ええわそのままで。ちょっと待っとって。そやそや、粘土や」

春也は立ち上がって自分のスポーツバッグを持ってきた。中から油粘土を取り出し、ビニールを剝いて、端のほうを無造作に千切り取る。両手で挟み込み、素早くそれを太い棒状にすると、指先でなにやらかたちを整えていった。

「ここに載せたらどやろ。脚を粘土で挟んで、動けへんようにしたら」

春也がつくったのは、ちょうど八幡宮の舞殿であの演奏者たちが叩いていた鼓のようなものだった。筒の両端が平らになっていて、真ん中がくびれている。春也はそれを土の上に縦に置いた。

慎一は掌をどけ、ヤドカリが動き出す前に、さっとその身体を摑んだ。じたばたと指先で暴れるヤドカリを、粘土の台座に載せると、そこへ春也が新しく千切り取った小さな粘土の塊を押しつけて、ヤドカリの脚を二本、上手く台座に固定した。

そっと手を離したその瞬間、脚を固定されたヤドカリは台座の上で必死になって身をよじり、丸い腹が大きな目玉のようにぎろぎろと揺れた。しかしヤドカリの力では、粘土から脚を抜くことは無理そうだ。

「ヤドカミ様の台座や。専用の」

ヤドカリはだんだんと暴れるのをやめた。

一分も経つと、すっかり静かになった。

動きを止めたヤドカリに向かい、慎一と春也は手を合わせて目を閉じた。景色が消えると、急に山の音が聞こえてくる。頭の上のほうで、微かに乾いた音がする。落ちていく木の葉が、枝に触れる音だろうか。鳥が遠くで小刻みに鳴いている。何を願おう。ヤドカミ様に何を叶えてもらおう。馬鹿馬鹿しいほど真剣に、慎一は考えた。

「何を願ったん?」

目をひらいたとき、春也はためすような訊き方をした。

「蒔岡が、不幸になるようにって」

慎一はそう答えた。

「蒔岡？　何でなん？」

「だって、こないだから僕の机に手紙入れてたの、たぶんあいつだから」

ああ、と春也は口の両端を持ち上げた。

「叶うとええな。あいつ、俺も嫌いやってん。なんやしらんけど」

「春也は何をお願いしたの？」

「俺は——」

言いかけたが、春也は言葉を切って薄く笑った。

「俺は、ええねん」

台座のヤドカリは、もうまったく動いていない。弱っているのではなく、諦めているように見えた。

「焼くで」

春也がライターをつけ、炎の先をヤドカリに触れさせた。ヤドカリは腹を振り、脚をばたつかせ、口からぶくぶくと泡を漏らした。その日の朝に食べた鰺のような臭いが、寄せ合った二人の顔のあいだを立ちのぼっていった。途中から、粘土から溶け出た油の臭いのほうが強くなった。ぷち、と灰色の腹が弾けたときだけ、二人は互いに少し顔を引いた。

（二）

翌土曜日の朝、教室に蒔岡の姿がなかった。

一時間目も二時間目も、担任の吉川はそのことについて何も説明せず、いつもどおりの尖った顔と、男のような声で、模造紙をやたらに使った授業を進めるばかりだった。

「どうしたんだろ」

「なんやろな」

休み時間に春也と囁き合っているとき、慎一がヤドカミ様のことを言わなかったのは、まさかという思いがあったからだ。それは笑い飛ばしたいような考えではあったが、ヤドカミ様という言葉をもし自分が口にしてしまったら、その瞬間から笑い飛ばすことが難しくなりそうで、慎一は咽喉まで出かかった言葉をぐっと飲み下した。

吉川がようやく説明してくれたのは、三時間目の国語の授業がはじまるときのことだった。

「いまさっき、やっと連絡がつきました。怪我をしたそうです、落ちて」

落ちて。落ちて？　落ちたの？　いくつかの声が混じり合って曖昧に響いた。

アパートの階段から落ちて、と吉川は言い直した。

「今朝学校へ行こうとしたときに、滑ったかどうかしたらしいですね」

慎一は素早く春也に顔を向けた。春也も慎一を見ていた。

「いまはもう病院から家に戻って、休んでいるそうです」

を外さなかった。

互いの黒目のあいだに糸でも張られたように、春也も慎一も、相手の顔を見合ったまま視線
「いつも朝寝坊で、慌てて玄関を出ていくから階段を転げ落ちたりするんだって、お母さんも笑ってらっしゃいました」

誰かが蒔岡の体重のことを言い、教室中がどっとわいた。

強張っていた全身から一気に力が抜け、慎一はようやく教壇へ顔を戻すことができた。どうやら蒔岡の怪我は大したことはないらしい。もう一度春也のほうを見てみると、春也はもうこちらに目を向けてはいなかった。前髪が目元を隠し、表情は読めない。ただ、唇が一度だけ、何か短い言葉を発したように小さく動くのが見えた。

授業が終わると、慎一は日直の「礼」と同時に春也の席へ向かった。春也は教科書をひらいたままシャープペンシルを動かしている。ひらかれていたのは『大きなしらかば』という、いま授業でやっているページで、何を書いているのかと思えば、文章の中にある「る」という文字にすべて縦の棒を引き、いちいち「ね」に変えているのだった。

「『登ねより下りねほうがずっとむずかしい』——意味わからんやろ」

「春也、蒔岡の怪我って」

「『ほら、あそこ、あそこ、いちばんてっぺんにいね！　えだのかげにかくれていねんだよ！』——これおもろいわ。隠れとるのか隠れとらんのか、ようわからん」

春也はようやく顔を上げた。

「しっかし、惜しかったな」

「何が？」

「母親が笑うくらいやから、大したことなかったのやろ？　蒔岡の怪我」

「そうだと思うけど――」

「ヤドカミ様、お前の願いを叶えてくれたんか、くれへんかったんか、ようわからんな」

ぱたんと音をさせて教科書を閉じ、春也はそのまま立ち上がった。「トイレ」と言って教室を出ていくので、慎一はついていった。

「びっくりしたよ、だって、ほんとに怪我するなんて」

春也と並んで廊下を歩く。

「俺もびっくりしたわ」

春也はそう言って、右手に並ぶ窓の外を見た。校門脇のヒマラヤスギの向こうに、ごたごたと建物がつづいていて、その先に少しだけ海が覗いている。

「なんか、怖いくらいやな」

春也の横顔を見ながら、慎一は無言で頷いた。


「えらい曇ってきよったで」

四時間目が終わった放課後、校舎の玄関を出たところで春也が空を見て舌打ちをした。

「雨降りそうだね。予報でもそんなこと言ってたけど」

「今日はどうしよか」

「降ってきちゃうかもね」

歩いているうちにも空はだんだんと暗くなり、いかにも雨を溜め込んだような雲が、のしかかるように頭上を覆いはじめた。空気は湿って生あたたかい。

「今日はやめとこうよ。降ったら、やっぱり危ないから」

「そやな。蒔岡みたいに転げ落ちても洒落にならへんし」

じつのところ、はじめから慎一は、今日は山へは行かないつもりだった。

授業中、そう決めたのだ。

「ほんなら、俺帰るわ」

「じゃあ」

別れ際、慎一は春也が着ていた長袖のシャツを見た。袖口に、土埃のようなものがついている。朝からついていた。家を出て学校に来るだけなのに、どうして袖口が汚れたりするのか。しばらく一人で歩いたあと、慎一は路地の角を、家とは反対の方向へ曲がった。蒔岡のアパートがある場所は憶えている。四年生の頃だったか、一人で歩いているときに、たまたまクラスメイトたち数人が階段の下に集まって喋っているのを見たことがある。慎一は無視されたが、聞こえてきた会話から、そのアパートに蒔岡が住んでいるらしいことはわかった。

昨日のことを、慎一は思い出していた。

粘土の台座に固定されたヤドカリに向かい、慎一たちは手を合わせた。何を願おう。何を叶えてもらおう。じっと目を閉じ、馬鹿馬鹿しいほど真剣に慎一は思案した。やがて瞼の裏に浮かんできたのは、数日前、遅い時間に帰ってきて、暗い部屋で静かに簞笥を探って寝間着を取り出していた純江の姿だった。そのあと風呂場から響いてきたお湯の音。朝、鏡台の前で自分の顔を見つめていた後ろ姿。すっと伸ばされていたブラウスの背中。それらがいっぺんに、頭の中によみがえった。——慎一はヤドカミ様に、鳴海の父親に悪いことが起きてくれるよう祈った。

それが、あのとき本当に願ったことだったのだ。

しかし正直に言えず、慎一は蒔岡が不幸になるように願ったなどと嘘をついた。どうして嘘のほうが叶うのか。どうしてあのとき口にしたことが、本当になるのか。

記憶をたどりながら歩いていくと、ほどなくしてアパートは見つかった。二階建てで、一階の外廊下の右端に、道路側から奥へ向かって階段が延びている。階段脇には郵便受けが並び、「204」の下に「蒔岡」とマジックで書かれていた。

ぽつりと頬に最初の雨滴がぶつかった。暗い空を見上げたとたん、右目に二つめが飛び込んだ。周囲のアスファルトに灰色の点が落ち、それはみるみる数を増して地面を埋めはじめ、慎一は慌てて一階の外廊下へ駆け込んだ。

建物の端に階段がある。骨組みに鉄製の踏み板がついただけの、ずいぶん華奢《きゃしゃ》なつくりの階段だった。

そばへ行ってみた。外廊下は階段の手前で途切れ、そこから左側を覗いてみると、建物の側面に寄せて縦長の檻《おり》のようなものが置かれている。何かと思えば、どうやらこのアパート専用のゴミ集積所らしい。金網張りで、がっしりとしていて、床面に生ゴミの残骸がこびりついていた。置かれている位置は、ちょうど階段の真下だ。

ゆっくりと、そちらへ向かった。

金網に背中をあずけ、階段を裏側から見てみる。踏み板と踏み板のあいだには何もないので、向こう側の景色が透けて見えた。雨はどんどん強まり、踏み板の縁からぽたぽたと水が垂れ落ちている。上の踏み板から下の踏み板へ、順々に流れ落ちていく。その水はひどく汚れていた。きっとあの踏み板は、土埃で覆われていたのに違いない。春也の袖口についていたような土埃で。

Tシャツ越しの背中に金網の冷たさを感じながら慎一は、あるものを見ていた。それは頭の中だけに存在する映像だった。子供の背丈ほどの剝き出しのヤドカリが、この金網を這い上り、蓋の上に座り込んでいる。そこで息をひそめている。ぴくりとも動かず、黒いピンポン球のような二つの目で、踏み板と踏み板とのあいだをじっと見つめている。生きた罠のように、相手の足が目の前に現れるのを待っている。二階でドアがひらく音がする。だらしない足音が廊下を進み、階段を下りてくる。それが近づいてくるにつれ、ヤドカリの口が嬉しそうに蠢く。左右のハサミが持ち上がり、相手の足が視界に入ってくるのを待つ。いまかいまかと待つ。

蒔岡の怪我は、どの程度のものだったのだろう。顔を擦り剝いて血が滲んだだろうか。鼻血を流しただろうか。どこかの骨が折れただろうか。

なるべく残酷な怪我をしていればいいと、慎一は思った。

ずいぶん経ってから階段の下を出た。路地に足を踏み出すと、強くなった雨がわっと全身に降りかかった。

家に帰るまでのあいだに、何人かのクラスメイトを見た。みんなもう、一度家へ帰ったようで、バッグは持たず、そのかわり傘を持っていた。濡れて歩く慎一と行き合ったとき、クラスメイトたちは、そんなものは見なかったというように何もないほうへ目を向けた。シャツが肌に張りついて冷たい。スニーカーの中に水が入り、靴下までびしょびしょになり、両足が重たい。さっき別れたばかりの春也に、慎一は無性に会いたかった。会って、何も喋らなくてもいいから、いっしょに時間を過ごしたかった。しかし、慎一は春也の家を知らない。一度も遊びに行ったことがない。

（三）

「あのアパートで、死んだ人がいたんじゃねえかな。その人、階段から落ちて死んだんだよ。俺ぜったいそう思う。だって――」

包帯を巻いた左手を、見せつけるようにTシャツの腹に置きながら、蒔岡はひどく真剣な顔つきだった。週が明けた月曜日の朝で、周りには男子生徒が四、五人集まっている。鳴海も、すぐ前の机の上に座って蒔岡と向かい合い、話を聞いていた。

蒔岡の怪我は、頬にできた擦り傷と、左手の小指の骨折だった。

「よく憶えてねえんだけど、急に足が片っぽ動かなくなったんだ。走って階段下りてたら。そんで、気がついたら下まで落ちてて――」

慎一は春也の席を盗み見た。その視線を春也が感じたことは、横顔の表情からわかったが、こちらに顔を向けようとはしなかった。

午後の授業が終わると、春也といっしょに校門を出た。はじめはあまり会話がつづかなかったが、歩くにつれて言葉が増え、海が見えてきた頃には二人とも相手に肩をぶつけ合うようにしてガドガドの裏を目指していた。

「俺、思ったのやけどな、ヤドカリが逃げへんように被せたビニール、あれ雨避けにもなってええな」

「雨が入ったら水が薄まっちゃうもんね」

「雨水やと、やっぱし駄目なんやろな」

「海水じゃないとね」

あらかじめ決めておいた約束事のように、どちらも蒔岡の話題は口にしなかった。口にしないことが、もう一つの新しさとなって慎一の胸を震わせた。

「かあぁ、みな死んどるやんけ」

水滴で真っ白に濁ったビニールをどけると、むっと生臭くてあたたかい空気が立ちのぼり、その空気の下でヤドカリは全滅していた。凹みの底で、それぞれの貝殻から半身をだらりとはみ出させ、動いているものは一匹もいない。

「お湯みたいになってるよ、これ」

凹みの中に指を入れて慎一は驚いた。

「うっかりしとったな。ビニールハウスみたいになってもうたんや。何で気づかへんかったのやろ。うわ、くったくたやんけ」

お湯の中から、春也はヤドカリを一匹つまみ上げた。いかにも死体といった感じで、貝殻の口から身体がぶら下っている。そのまま二人で顔をしかめて見ていたら、ずるりとヤドカリの腹が抜け、液体のような音を立てて地面に落ちた。

「最悪やな」

「また新しいの捕まえてこないと」

「ほんで、ビニールの蓋はもうあかんな。何かほかのもんで蓋せんならん」

「網みたいなのなら大丈夫じゃないかな」

春也は落胆の溜息をつきながら髪を掻き回していたが、ふとその手を止めて凹みのほうへ首を伸ばした。

「ん」

「何？」

「いま動いたんちゃう？」

「ヤドカリが？」

慎一も凹みを覗き込んでみた。一、二、三、四、五、六、七、八。みんな死んでいる。いったいどれが動いたというのだろう。もう一度順番に、こんどは注意深く見ていく。一、二、三、四、五、六、七……。

「ほんとだ」

六番目に数えたヤドカリが、よく見ると微かにハサミを動かしているのだった。

「すごいやん、生き残りがおった！」

言うなり春也は凹みに手を突っ込んで、灰色の貝殻を背負ったそのヤドカリを摑み出した。ヤドカリはたしかに生きていた。が、もう殻に潜り込む体力もないらしく、幽霊のように上半身を垂らしてされるがままになっている。

「これ、あれやな。一番強いヤドカリやったいうことやな」

実際、このお湯の中を生き延びたのだから大したものだ。人間で言うと、大火事の中にいても死ななかったようなものか。

「もう決まりやん」

訊き返すことなく、慎一は頷いた。今日のヤドカミ様はこれで決まりだ。生きているのが一匹しかいないのだから、必然的にそうなりはするのだが、なにしろ八匹の中で最も強い特別なヤドカリなのだ。

岩の裏側へ移動した。春也がポケットからライターを出し、慎一が家の鍵を取り出す。すでに半分身体を出しているヤドカリを鍵に載せ、二人は貝殻をあぶった。

「出てこおへんかな」

「弱ってるから、あんまり長くやってると死んじゃうかも」

「ちょっと引っ張ってみよか」

しばらくあぶりつづけても出てこないので、春也はいったん火を消し、ヤドカリのハサミを指でつまんだ。そのまま上へ引っ張ると、灰色の貝殻が鍵から浮いて、ぶらぶらと空中で揺れた。春也がその揺れる貝殻に手を伸ばしたとき、慎一はいつか力任せに引っ張り出そうとして千切れてしまったヤドカリのことを思い出した。しかし今度は大丈夫だった。上手な人が抜き出したサザエのように、ヤドカリの身体はするりと貝殻から出てきた。

「生きてる？」

「脚がちょっと動いとる。慎一、台座つくってくれへん？」

凹みの縁に残っていた粘土で、慎一が前回と同じような台座をつくって地面に置いた。そこへ春也がヤドカリを載せた。

手を合わせて目を閉じる二人の動きは、練習したように一致していた。

《ヤドカミ様、ヤドカミ様……》

微かに節をつけて、春也が口の中で呟く。様になっているというか、まるで本物の呪文かお経のような雰囲気があった。それに混じって、何か洗い物でもするような音が聞こえているのは、春也が両手をこすり合わせているのだろう。

目を閉じたまま慎一は、昨夜から用意していた言葉を口にした。

《春也は、何か願い事ないの？》

返事が聞こえてくるまで間があった。
《ええて、俺は》
そう言うだろうと思っていたので、少し待ってから、慎一はもう一度、今度は少し押しつけるように訊いた。
《何かあるでしょ、一つくらい》
春也はいま目を開けているかもしれない。開けて、慎一のほうを見ているかもしれない。しかし慎一は顔の前で手を合わせ、目を閉じたままでいた。胸の内側で春也に対する思いがうずいていた。それがどんな思いなのかは自分でも判然としない。ただ慎一は、ずっと春也と友達でいたかった。放課後の時間をこうしていっしょに過ごしたかった。イチゴを買ったり、息をはずませて山道を登ったり、可哀想だと思ったり、思われたりしたかった。互いに本当は知っていながら、黙っている何かが、もっともっと欲しかった。
ずいぶん経って、ようやく声が返ってきた。
《ほんなら、俺も金が欲しいわ》
それから、照れたような笑いがつづいた。
《百円くらいでええねんけどな》
その日は慎一がヤドカミ様を焼いた。
「ちっともわさびが効いてねえ」

夕食の途中で昭三が小さく舌打ちをした。

「からしでしょ?」

卓上の皿に首を伸ばして慎一は訊き返した。皿の上には初鰹の刺身が載っている。今日は二十五日——純江の給料日だったので、刺身のほかにも生ウニや、たらの芽の天ぷらが並んでいた。

「からし?」

「わさびじゃなくて、からしでしょ」

刺身に添えてある和がらしを、慎一は箸で示した。昭三はいつも初鰹を、わさびでもニンニクでもショウガでもなく和がらしで食べる。秋や冬になって出回る戻り鰹と違い、初鰹は臭みがないから和がらしが一番合うらしい。慎一は辛いものが好きではないので、いつも醬油だけつけて食べる。

「ああ、そうじゃねえよ。テレビだ」

昭三はテレビ画面を顎でしゃくる。ソ連がアフガニスタンにどうのこうのと、慎一にはよくわからないニュースをやっている。

「アナウンサーの言うことが、生ぬるくって面白くもなんともねえって言ったんだ」

「そういえばお義父さん、ちょっと人から聞いたんですけど、初鰹は鎌倉が発祥ってほんとですか?」

お勝手から運んできた追加の天ぷらを皿に移しながら純江が訊いた。

「そうそう、鎌倉よ鎌倉。昔はさ、純江さん。その年で初めて獲れた鰹は八幡様に奉納されてたんだ。だから江戸では初鰹といやあ鎌倉だって言われてた。江戸のほうじゃ手に入らなかったんだよ、みんなこっちに奉納されちまうもんだから」

「ああ、それで」

答えを知るよりも、相手が知っていることを質問して喜ばせることが目的だったように、純江の表情はひどく大げさだった。しかし昭三は酒のせいか、そんなことには気づかず、語尾を上げながら上機嫌につづける。

「伊勢海老だってあれだよ、純江さん。鎌倉が最初なんだよ」

「伊勢海老も?」

「鎌倉の海老が有名でさ、関西でも売れてたんだ。そいで、伊勢のほうでも海老を獲るようになって、いつのまにかそっちのほうが有名になっちまったもんだから、鎌倉で獲れる海老まで伊勢海老って呼ばれるようになったんだよ」

「そうなんですか。私ぜんぜん知らなくて」

「育ちがこっちじゃねえんだもん、知らねえよ」

「こっちでは常識なんですか?」

「いやまあ常識ってえか、俺みたいな年寄りが知ってるくらいだろうなあ」

母はこんな人だったろうか。わざと相手を喜ばせるような人だったろうか。こんなに、ことさら声を高くして何かに感心してみせるような人だったろうか。

確実に、母は以前と変わっていた。

そう思った瞬間、目の前にいる純江が急に知らない女の人に見えた。自分の母親でもなければ、死んだ父と結婚した人でもない、たまたま今この家で家事をしているだけの女性に見えた。家事が終われば家に帰っていく。帰って、誰か男の人と過ごす。

「祖父ちゃん」

本当は純江に呼びかけたかったのに、慎一は昭三に声をかけていた。昭三はまだ笑いの残った顔を向けてくる。

「このまえ春也といっしょに、お金拾ったよ。五百円玉」

喋る内容など用意していなかったので、思いついたことを適当に言った。

「五百円か、いいなおい」

昭三は前のめりになって、赤らんだ顔をぐっと近づけてくる。

「そんでそれでお前、何か買ったのか?」

「イチゴ」

イチゴ、と眉を上げて鸚鵡返《おうむがえ》しに言い、昭三は口をあけて笑った。

「考えたな、イチゴか。そりゃ美味かったろ」

イチゴなあ、と繰り返して酒の入った湯呑みを持ち上げる。それからイチゴがなんとかという慎一の知らない演歌のようなものを、頭をゆらゆらさせながら口ずさんだ。

「慎ちゃん駄目よ、そういうのはちゃんと言わないと」

純江が急に真顔に戻って慎一を見た。その瞬間、不意打ちのような怒りがかっと慎一の目の裏を熱くした。知らない女の人なら、ずっと知らない女の人でいればいいじゃないか。急にそんな顔をすることはないじゃないか。声にならない言葉が、熱くなった目の裏に込み上げた。春也といっしょにイチゴを食べたあの時間ごと、すべてを咎められ、否定された気がした。

「何でイチゴ買っちゃいけないの?」

声の最後に、思わぬ涙が滲んだ。それが悔しくて、慎一は立ち上がった。不思議そうに自分を見ている純江と、何か面白いものでも見つけたように目を向けている昭三が、どちらも厭だった。涙が溢れる直前、慎一は居間を出てトイレに向かった。何に腹を立てているのか、どうして涙が出てくるのかわからない。ドアを閉め、握った拳で自分の腿を殴りつけた。

「いいって純江さん、いいって」

純江がこっちへ来ようとしたのだろう、昭三のそんな声が聞こえてくる。それから二言三言会話があり、ドアの向こうはしんと静かになった。

（四）

朝一番、席に着く直前に春也が百円玉を見つけるのを、慎一は自分の席から見ていた。学校に置きっぱなしにしている筆箱が、何故か机の下に落ちていて、それを拾おうと春也は腰を屈め、筆箱の下に置かれていた百円玉に気づいたのだ。

イチゴのお釣りの、百円玉だった。

銀色の硬貨を右手に握り込んだ直後、春也は慎一のほうへ顔を向けようとしたが、思い直したようにそのまま席に着いた。

その日は互いに口を利かなかった。しかし慎一は、それまでのどんな日より自分と春也が近くにいる気がした。離れて座っているのに、春也の体温さえ伝わってきて、相手にもまた自分の体温が届いているように思えた。音楽の時間、慎一は歌い出しのタイミングを間違えてクラス中の笑いをあびた。春也と目が合った。春也だけは、みんなと違う笑いかたで、慎一を励ましていた。

授業が終わって教室を出ると、校門の前に春也の後ろ姿があった。慎一が横に並ぶと同時に、ほとんど足を止める間もないくらいタイミングよく春也は歩き出した。海へ向かう二人の背中を太陽が平等に照らした。空は朝から完璧に晴れ、足元に映る影は髪の毛の先まで見分けられるほど濃い。

「今日、新しい粘土持ってきたった。図工室から」

「ヤドカミ様の台座に使うやつ?」

「そう、それとな、ほかにもいろいろ持ってきてん」

「何?」

「あとでや、あとで」

春也はもったいぶり、足を速めた。慎一は見えない手に上半身を持ち上げられているような思いで春也の背中に追いついた。

岩場で五匹ずつのヤドカリを捕まえてガドガドの裏へ入り込むと、春也はようやくバッグの中身を見せてくれた。

「まずは粘土やろ、それからボール紙、セロハンテープ、シュロ紐、色紙、ハサミと糊、ホチキスもあんで。マジックも」

「ぜんぶ図工室から持ってきたの？」

「あっぶなかったわあ、出ていこうとした瞬間、西郷どんが入ってきよってん」

西郷どんというのは図工の教師のあだ名だった。

「見つかった？」

「見つかるかいな、隠れたったわ」

春也がスパイのように素早く物陰に隠れるところが、慎一には見えるようだった。

これらの道具はヤドカミ様の岩を飾り付けるのに使うのだと春也は説明した。

「なんかほら、神社みたいにできひんかと思って」

聞いているあいだから慎一はぞくぞくしていた。

「いいねそれ、やろうよ」

「そや、あとこれ」

バッグの底のほうから、折りたたんだ灰色の網を取り出す。

「網戸の網。前にな、親父が暴れて破りよったのを、お袋が張り直してん。そんで、破れたやつがそのまま窓んとこに放り出してあったから持ってきたった」

「それも飾り付けに使うの？」

「使うかいな、蓋やて。これで凹みに蓋して、まわりを粘土で固めたらちょうどええやろ？　中が蒸すこともないし、ヤドカリが逃げることもないし。網の上から葉っぱとか枝とかかけといたら、雨も平気やと思うで」

どうして春也はこんなアイデアを思いつくのだろう。

「それと、もう一つあんねんけどな、それは上に行ってからや」

「なんで、見せてよ」

「ええからええから」

にやにやしながら、春也は広げた荷物を手早くバッグに仕舞いはじめる。慎一は早くあの岩へ行きたくて、行きたくて、海水の入ったビニール袋を持って立ち上がった。袋の底では十匹の新しいヤドカリが驚いて身を引っ込ませ、水の動きに殻がゆらゆらと揺れている。

「さて、今日は一仕事やで」

言ってから、春也は何か考えついたように表情を止め、すっと慎一に顔を向けた。

「慎一、今日のあの――」

しかし言葉を切り、ちらりと歯を見せて笑う。

「まあええわ。なあ、ちょっと待っとって。すぐ戻ってくるから」

慎一が何か言う前に、春也はバッグを放り出してガドガドの裏から駆け出ていった。いったいどうしたというのだろう。慎一は海水のビニール袋を地面に置いて待った。春也はなかなか戻ってこない。ずいぶん遅い。ぼんやりとした不安が胸にたちこめはじめた頃、ようやく足音が聞こえてきた。駆けているらしい足音は、だんだんと大きくなってきて、やがて目の前にいきなり春也が現れた。息を切らし、右手にスーパーのレジ袋を持っている。

「仕事で腹減るから、おやつが必要やろ」

レジ袋の中から、春也はポテトチップスのパックを取り出してみせた。

それは、ちょうど百円で買えるポテトチップスだった。


「そこ持っとって」

「ここ?」

「そこやて」

シュロ紐を二人で協力して注連縄ふうにねじり合わせ、岩に巻いた。色紙やボール紙を使い、七夕やクリスマスのように岩を飾った。夢中になっているうちに作業は進み、西の空が赤くなるだいぶ前、ヤドカミ様の社は完成した。二、三歩下がって見てみると、岩は、巨人が額に縄を巻き、顔のあちこちに何か民族独特の装飾をつけているといった感じに仕上がっていて、悪くなかった。

網戸の網は凹みの蓋にちょうどよかった。水を替えて十匹のヤドカリを入れ、網を粘土で固定し、網の上には葉のついた枝を集めてきて載せた。

「さってと、飯にしよか」

作業が一段落し、春也は拳を握った両腕を広げて大きく伸びをした。地面にどっかりと尻を落とし、岩の脇に置いていたポテトチップスの袋を引き寄せて封を開ける。鼻先に香ばしい匂いが届いた。ほとんど同時に二人で袋に手を突っ込み、ポテトチップスを掴み出して頬張った。ここには畳もテーブルもないので、口からこぼれる欠片《かけら》も気にする必要はない。

「前から思ってたのやけど、塩やのに、これ何で甘いのやろな」

「スイカに塩かけても甘いよね」

「あ、俺かけへんねん、スイカには」

「何で」

「何でいうことはないのやけどな、そういう習慣がなかってん、うちには」

ポテトチップスはあっという間になくなった。袋の底に残ったかすを、慎一は春也にすすめ、春也は顔の前に掌を立ててから、ざらざらと口に流し込んだ。

「なんかこうして口いっぱいにして食べると、ポテトチップスって芋やったんやなあって思わへん？」

「ジャガイモの味するよね」

二人とも両手を尻の後ろについて空を仰ぎ、しばらくポテトチップスの余韻を楽しんだ。舌で唇を舐めると、まだ甘い塩の味がする。すぐそばを小さな虻が一匹ぶんぶん飛び回っていたが、やがて白い花の一つに潜り込み、あたりはすっかり静かになった。ときおり風が吹くと、落ち葉がくすくすと笑い声のような音をさせて地面を滑っていった。

「そや。さっきガドガドの裏で、もう一つある言うたやろ」

「あ、言ってたね」

「これやねん」

スポーツバッグを探っていた春也が、何でもないような言い方をして取り出したのは、封を切っていないセブンスターの箱だった。慎一は急に臍《へそ》のあたりが縮こまる思いがして、すぐには言葉を返せなかった。家で昭三が喫《す》うので、煙草の箱は見慣れている。しかし、この山の風景の中で、つるりと太陽の光を跳ね返すビニールのパッケージには、あんかけの中に溶け残った片栗粉の塊を見つけたような、厭な違和感があった。

「親父の煙草、持ってきたった」

「喫うの？」

それ以外に使い道などないとわかっていても、訊かずにはいられなかった。春也は軽く頷いて、手早く封を切る。指にからみついたビニールを振り払うと、ビニールはあるかなしかの風に地面の上を引き摺られていき、あの白い花をつけた草に引っ掛かってしばらく震えていたが、やがて灌木のあいだに消えた。

春也は煙草を一本口に咥《くわ》え、もう一本を抜き取ると慎一に差し出した。慎一はためらうところを見せたくなくて、すぐに受け取って唇に挟んだ。紙の味がして、舌先の唾がフィルターに吸われる感覚があった。

ライターを片手で覆い、春也は眉根を寄せて自分の煙草に火をつける。ぱっと音をさせてひらかれた唇のまわりで、真っ白な煙がふくらんだ。明るい景色の中で煙はすぐに見えなくなったが、目を上げると、色濃い葉の茂りの手前を、白い筋がするすると昇っていくのがわかった。心臓がとくとくと速まり、ちゃんと座っているのに両足が宙ぶらりんになったような感覚があり、慎一は急に尿意をおぼえた。誰もいるはずのない周囲に目を走らせたり、また煙を見たり、春也を見たりした。

春也がライターを突き出して、くい、と顎を持ち上げる。慎一はライターを受け取り、一度失敗してから火をつけた。火先を煙草の先端に近づけていく。そろそろついたかと思って火を離したが、煙草の先はまだ赤くなっていなかった。もう一度、今度はしばらく煙草の先を炎に触れさせてみた。しかし、いつまで経っても煙は出てこない。

「吸うねん、火ぃつけながら」

やってみた。目の前でむくりと真っ白な煙が生じ、それが顔をすっぽりと包み込みそうになり、反射的に上体を引くと、くくっと春也の笑いが聞こえた。

「平気やて、ただの煙なんやから。でもあれやで、ほんまに肺に入れたらあかんで」

人差し指と中指で煙草を挟み込み、春也はぱっぱっとフィルターから煙を立ちのぼらせる。その手つきはずいぶんと様になっているようで——しかしどこかおかしい。何か違う気がする。よく見てみると、煙草を持つ春也の手は逆を向いているのだった。人差し指と中指で煙草を挟んではいるのだが、手の甲が顔のほうを向いていて、あれではピースサインだ。悪いとは思ったが、慎一が教えてやると、春也はふてくされたように目をそらした。

「たまに間違うねん」

少し気が楽になった。さっき春也がやったように、慎一はぱっぱっとフィルターから煙を出してみた。口の中が苦い。しかしポテトチップスの塩のように、なんだか舌の表面に甘い味が広がる気もする。

半分ほど灰になったところで、いっしょに煙草を消した。

「岩の裏に、ちょっとへこんだとこがあったやろ。ライターといっしょに、そこに置いとこか」

「木の枝か何かで隠したほうがいいかもね」

「そやな」

春也と二人で岩の裏側へ行き、岩のへこみに煙草とライターを入れ、手近な木の枝を折って被せた。ここなら雨が降っても濡れないだろう。春也と相談し、ヤドカミ様の台座や網の固定に使う粘土も同じところに隠しておこうと決めた。

それから二人でヤドカリをあぶり出した。丸っこいハサミに緑色の苔をつけた、ずんぐりむっくりなやつだった。二人が手を合わせ、目をつぶっているあいだ、台座に固定したヤドカリは脚のこすれる音が聞こえるほど暴れていた。

手を合わせながら慎一は、とくに何を願うこともなかった。そのかわり、さっきの煙草の味を、まだどきどきしながら思い出していた。春也が掌をこすり合わせる音が聞こえてくる。やがてその音もやみ、もういいかと思って目を開けてみると、春也はまだ手を合わせていた。シャツの袖口が少しずり落ちて、左の手首が見えている。そこに小さな、赤くて丸い痕《あと》があることに慎一は気がついた。昨日はあんなものはなかったのに。

いつだったか、昭三の喫っている煙草が灰皿から座卓の上に転げ落ちたときのことを憶えている。そこだけ化粧板が丸く歪んでしまったのを見て、煙草の火はそんなに熱いのかと慎一は驚いた。もしあれを人の肌に押しつけたとしたら、ちょうど春也の手首にあるような痕が残るのではないか。

「ねえ、昨日さ」

ずいぶん迷ってから、慎一は訊いてみた。

「春也のお父さんも、給料日だった？」

「あ？　ああ、そやな」

春也は目を開け、いったんこちらを見て答えたが、すぐにまたヤドカリに向き直って瞼を閉じた。

給料日には、父親は決まって酒を飲んで帰ってくると春也は言っていた。昨日もそうだったのだろうか。

飲んで帰って、春也の腕にあんなことをしたのだろうか。

いつもより長く手を合わせている春也の横顔を眺めているうちに、慎一は、友達が何を願っているのかがわかった気がした。

（五）

それから数日のあいだ、慎一と春也は毎日のように放課後の時間を山の上で過ごしたが、ヤドカリをあぶり出しはしなかった。ヤドカミ様に手を合わせるのが決まりごとのようになってしまっては厭だったし、二人で地面にマスを描いて○×ゲームをしたり、あれこれと話をしているだけでも楽しかった。それより何より、じつのところ慎一はある計画の実行を考えていたので、いまは新しいヤドカミ様に出てきてもらっては面倒なのだった。

二人は凹みの水を替え、持ってきた餌の煮干しを放り込み、太陽が傾く頃になると、岩の裏に隠した煙草を一本ずつふかして山を下りた。

家に帰ると慎一は、夜な夜な計画の実行を進めた。春也の家の郵便受けに入れる、ある手紙の文面を考えていたのだ。

手紙の内容が決定したのは金曜日の夜のことだった。昭三がうたた寝をし、純江が洗い物をしているときを見計らい、居間の物入れから便箋を取り出した。

どうやって書こう。書いたのが自分だということが、ばれてはいけない。小学生だということもばれないほうがいい。迷った末、慎一はものさしを使って文字を書くことに決めた。それならば大人がやったのか子供がやったのか、きっとわからない。漢字の少なさで、小学生だということがばれてしまってはいけないので、文章はすべてひらがなとカタカナで書くことにした。

ものさしを使って文字を書くのは予想以上に難しく、時間がかかった。しかも狭い家の中で昭三と純江の目を盗んでする作業なので、なかなか進まない。それでも慎一は根気よくつづけた。

手紙が完成したのは日曜日の夜だった。

『わたしはハルヤくんのケガやヤケドのことをしっている　きんじょにすんでいるので　いつもみている　これいじょうハルヤくんにひどいことをするのならケイサツにレンラクする　このテガミのことはハルヤくんにはなしてはいけない　もしはなしたら　それだけですぐにケイサツにいう』

何度読み返しても、なかなかに周到で、効果的な文面に思えた。

手紙を封筒に入れ、翌日学校へ持っていった。放課後がやってくると、いつものように春也が校門の脇で待っていたが、慎一は昭三といっしょに出かける用事があると嘘をついた。

「ほんなら、山は行かへんの」

「ごめん、どうしても駄目で」

「そしたら水はどうしよか。四連休やから、替えとかんとあかんよな」

五月のゴールデンウィークに入り、明日からの四日間、学校は休みだ。祝日が三連続で、そのあとに開校記念日がくっついている。

「もし面倒じゃなければ、一人でやっといてくれない？」

用意していた言葉を切り出すと、予想どおり春也はむっとした。

「だってあの水、いつも交代交代で運んどるのに、一人やと重くてかなわんわ」

「でも、またヤドカリが死んじゃうと厭だから」

「大丈夫やと思うで。ちゃんと陽が当たらんようにしてあるんやから」

「いちおう、念のために」

「休みのあいだに、待ち合わせていっしょにやろうや」

「連休中は、ちょっと予定が入っちゃってて」

まだ納得がいかないような顔をしながらも、最終的になんとか春也は承知してくれた。不満が表情にありありと出ていたが、それでも慎一はまったく平気だった。春也だって、今日の夜以降、自分の願いが叶ったと気づけば、その嬉しさに、いまの気分などすぐに忘れるだろう。

「じゃあ、ちょっと急ぐから」

軽く手を上げ、小走りに校門を離れた。自分の家のほうに向かって角を折れ、少し進んだところで足を止めた。もう春也の姿は見えない。それを確認すると、慎一は路地をいつもとは違う方向へ曲がり、春也のアパートを目指した。場所は、クラスの名簿と地図でゆうべのうちに調べてあった。

春也を山に行かせたのは、アパートの近くで鉢合わせしてはまずいからだった。手紙は、あくまで春也に気づかれないように郵便受けに入れなければならない。春也が慎一の見ていないときに、上手く潮だまりに五百円玉を落としてくれたように。

しかし、そのために、連休中は予定が入っているなどと嘘を言わなければならなかったのは残念だった。本当は明日にでも春也に会って様子を確認したかったのだ。生き生きとした顔を見て、別人のように明るくなった声を聞きたかった。

五日後まで、どうやら楽しみは取っておくしかなさそうだ。

前のめりに歩きながら、慎一はバッグのファスナーを開け、手紙の入った封筒を覗き見た。胸が高鳴り、鼻の穴が勝手に動いてしまう。――この手紙の存在に、春也は気づかないだろうか。どうして急に両親の様子が変わったのか不思議に思いながらも、その理由には見当もつかないだろうか。

救ったのが自分だということに、できれば気づいて欲しかった。気づいて、何も言わないで欲しかった。しかし、もし気づかないのであれば、それはそれで仕方がない。

浮き立つ気持ちを抑えながら慎一は足を速めた。

（六）

連休が明けた土曜日、一時間目の授業を受ける春也の目は、何も見ていなかった。

ずっと机の上に両手を載せ、顎をほんの少し突き出すようにして、疲れた犬のように小さく口をあけていた。

チャイムが鳴り、休み時間がやってきたが、漠然とした不安に身体を押さえつけられて慎一は春也に話しかけることができなかった。春也は席を立たず、二時間目が終わった休み時間もそれは同じだった。四時間目の、体育の時間がはじまる前に教室で着替えているとき、シャツを脱いだ春也を見て慎一は凍りついた。

断食をしているお釈迦様のように、春也の腹はへこんでいた。

のろのろとした動作で体操服を着る春也の身体から、慎一は視線を外すことができなかった。そのうちに春也が気づき、こちらを見た。しかし春也は、まるで慎一が人間でなく風景の一部ででもあるかのように、ほとんど視線をとどめることなく顔を前に戻した。

ざわついた教室の中を、足が勝手に春也のほうへ近づいていった。

すぐ隣に立ったときも、春也はまだ慎一を見なかった。

「春也……それ」

「それ？」

声だけが返ってきた。

「それ……そのお腹」

ああ、と春也は薄く笑い、体操服の上からでもへこんでいるとわかる腹を片手で叩いてみせた。

「起きるのが遅かったもんやから、朝飯食いそびれてん」

絶対に、朝ご飯だけではない。そんなのは見ればわかる。

何も言えないまま、慎一は友達の顔を見つめていた。

「いや、ほんまはちょっとな、家で問題があってん」

慎一が信じていないことを察したらしく、やがて春也は面倒くさそうに言った。

「問題って――」

「こないだの煙草よ。あれがばれてん。親父がな、買い置きのやつがないいうて、俺に知らんかって訊いたのやけどな、俺アホやから普通に答えてしまってん。俺が持ってったんやいうて。そしたらな、飯抜かれた」

嘘だ。慎一にはすぐにわかった。二週間近く経ったいまになって煙草の買い置きが減っていることに気づくのはおかしいいし、もしそのことを訊かれたとしても、春也が正直に答えるなんてもっとおかしい。

「でも、あれやで。喫うたなんて言うてへんで。なんとなく持って出たのやけど、うっかりどっかに落としたって言うたった」

春也はつくり笑いを浮かべた。限界まで腹が減り、ぎりぎりまで疲れた身体で演技をしていた。――何も言葉が出てこない。膚《はだ》の内側から一斉に血が逃げ出したように、全身が冷たくなっていく。逆効果だったのだ。あの手紙を読んで春也の父親は怒り、その怒りを春也にぶつけたのに違いない。あるいは父親は、春也自身があれを書いたと思い込んだのかもしれない。ものさしを使い、誰が書いたのかわからなくしたせいで。

「俺、何であんなふうに答えたのやろ。後悔先に立たずや。煙草のことなんて訊かれても、一言、知らんって言うたらよかったのに。ほんまアホやわ」

体育の授業はポートボールだった。試合中、コートの隅でほとんど動かない春也を見て教師が二度も怒った。慎一は教師が死ねばいいと思った。思うたび、自分も死んでしまいたかった。

ホームルームが終わると、春也は慎一に話しかけられるのを避けるように教室を出ていった。一人で家路をたどりながら、慎一は何度も両手の拳で自分の腿を打った。涙があとからあとから溢れてきて、自分の中身がアスファルトにどろどろと溶け出していくような思いがした。煙草のことがばれたという嘘は、あの場で考えたのではなさそうだった。あらかじめ用意してきたものに違いない。きっと春也は、自分が食事を抜かれたことと慎一とのあいだに関係があると気づいたのだろう。もしかしたら父親が、あの手紙を見せたのかもしれない。

家に着いたが、玄関を入ることができなかった。その場に立ったまま慎一は、掌の付け根を両目に強く押しつけて、涙が止まってくれるのを待った。引き戸の向こうから、昭三が見ているらしいテレビの音が聞こえていた。


「関係あんのかよ、この前のあれと」

向かい合って昼ご飯を食べていると、急に訊かれた。

「あれって何」

「前に晩飯んときお前、いきなり泣いただろうが」

「泣いてない」

「そうだ、泣いてなかった」

謝るように、昭三は片手を持ち上げる。

「でも、便所に籠もっちまっただろ。あれと関係あんのか？」

「何が」

「何がってお前」

言いかけてやめ、昭三は鼻息を洩らした。そのまま無言で、朝のうちに純江が用意していった鯖の味噌煮をつつく。テレビからわっと歓声が聞こえたが、どちらも画面に目を向けなかった。

「話してみろよ。こっちは七十年から生きてんだ」

「べつに、何もないよ」

「好きな女の子でもできたか？」

わざといやらしく笑いながら、昭三は訊く。

「俺ぁな、これでも昔は桃色船長なんつって、漁協で噂されてたんだぞ。女の悩みなら聞いてやる」

「違うって」

「そうかい」

二人とも無言になった。

寂しい居間に、薄っぺらいテレビの音だけが聞こえていた。

「ま、お前は男の子だからな」

ご飯を食べ終えると、昭三は湯呑みのお茶を茶碗に注ぎ、音を立ててすすった。

「女は女の子んときから女だけどよ、お前はいましか男の子じゃねえ。いろいろやってみな」

早口言葉のようなことを言ってから、じっと慎一の顔を見る。何も答えられずに目を合わせていると、昭三は皺の寄った上瞼をふっとゆるませ、目尻に横皺を刻んで笑った。

「ただ、何かんときは必ず相談しろ。俺でも、純江さんでもいい」

「わかってる」

「約束できるか？」

一瞬――ほんの一瞬だけ慎一は、何もかも昭三に打ち明けて頼ってしまいたい衝動にかられた。春也のことも、純江のことも、鳴海の父親のことも、机に入れられていた手紙のことも。しかし、それをやってしまうのが怖かった。いろいろなことが上手くいかず、守っていたいものがあるわけでもないのに、慎一は自分を取り囲む様々なものが、大人の手で形を変えられてしまうのが怖かった。

「できる」

それだけ言って、食べ終えた皿を重ねた。昭三の分もいっしょにしてお勝手に運んでいくと、流し台の上の窓枠に、きらきらと光るものがある。

手に取って見ていたら、居間から昭三の声がした。

「ああ、なんだか純江さんが持って帰ってきたんだ」

硝子細工だった。

ずいぶんと高価そうだ。波間を跳ね上がるイルカが、口や目の様子まで、かなり精巧につくられている。波も、まるで本物の水のように見えた。金属製の四角い台座がついていて、側面は顔が映るくらいぴかぴかだ。裏を返してみると、台座の底に、知っているメーカー名が刻印されていた。

「事務員仲間にもらったとかでさ」

それは、鳴海の父親が勤めている硝子メーカーだった。

限界まで冷水が満ちていた胸に、そのイルカの硝子細工が音もなく落ち込んで、表面でふくらんでいた水が溢れた。その水がじわじわと全身を濡らしていくのを慎一は感じた。

「……いつ?」

「おとついの夜だったたっけかな。ずっとそこに置いてあったろうが」

手紙のことに夢中で、これまでまったく気づかなかった。

慎一の体温が移り、硝子細工はだんだんと生あたたかくなっていった。不意に慎一は、鳴海の父親と手を触れ合ったような嫌悪を感じ、それを窓枠に戻した。

自転車の鍵は玄関の壁の、クエスチョンマークのかたちのネジにぶら下げてある。慎一はその鍵を取ると、もの問いたげな昭三に何も言わず、スニーカーを履いて家を出た。

空の向こうに、粘土を積み重ねたような鼠色の雲が見える。

サドルをいっぱいに高くしてある自転車にまたがり、路地へとこぎ出した。どこへ行こうとしているのか、自分でもわからない。ただ慎一は、じっとしていることができなかった。

海沿いの道に出て、どんどんスピードを上げる。ときおり追い越していく車を睨みつけるようにしながら、いつしか慎一は全速力で自転車を飛ばしていた。速度を落としてしまったら、その瞬間に涙が溢れるような気がして、両足に鈍い痛みを感じるほど強くペダルをこいだ。

角を折れ、春也のアパートへ向かう。建物の前で自転車を停め、数日前の放課後、口もとがにやつくのを我慢しながら手紙を差し込んだ郵便受けを見る。自分は取り返しのつかないことをしてしまった。本当に馬鹿なことをしてしまった。涙が瞼の縁を越える前に、慎一はまた自転車をこぎ出した。

ふたたび海のほうへと向かう途中、鳴海といっしょに入った自転車屋の前を通った。行き過ぎるとき、少しスピードを落として店の中に目をやると、あのときの店主がぽつんと商品の脇で屈み込んでいるのが見えた。

海沿いの道に戻ると、家と反対の方向へ自転車を走らせた。左手にレストランが近づいてくる。一階が駐車場になっていて、真四角のその店は、まるで宙に浮いているように見える。何度も前を通ったことがあるレストランだが、そのときの慎一には違って感じられた。どうしてなのか、理由がすぐにはわからなかった。

が、駐車場の脇を過ぎようとして、ようやく思い出した。教室で鳴海と話しているときに、この店の話が出たのだ。ここの角を曲がってずっと進むと、右側に大きなビルがあり、鳴海の父親はそこに勤めているのだという。

ブレーキレバーを力いっぱい握り締めた。タイヤが派手にアスファルトを鳴らし、自転車は少し横滑りして停まった。

何かの塊が、胸を圧迫している。どんな塊なのかはわからないが、とにかく慎一の胸は、丸太で突かれているように苦しかった。レストランの駐車場を斜めに突っ切り、たったいま通り越した脇道に出ると、ふたたびスピードを上げた。歯を食いしばり、前傾姿勢でペダルをこぎながら慎一は、いま車が横から飛び出してきて自分を跳ね飛ばしてもいいと思った。

ずっと遠くからでも、その大きなビルは確認できた。

ビルの前には駐車場が広がっていて、社員や警備員の姿はない。

歩道に自転車を停め、慎一は駐車場に向き直った。たくさんの車が整然と停められている。正面の入り口からではなく、五十センチほどの段差を乗り越えて、慎一は駐車場に入り込んだ。どの車も、ずいぶん高級そうに見える。縦横にきちんと並び、動くことがとても信じられないように、曇り空の下でじっとうずくまっている。中央の通路を駐車場の中ほどまで進んだとき、並んだ車の屋根の向こうに、あのルーフキャリアを見つけた。丁寧にワックスがかけられた灰色のヴァン。

鳴海の父親の車だった。

車へ近づき、すぐ脇に立つ。雲の広がった空を映し、ウィンドウの内側はよく見えない。鼻先に埃っぽいウィンドウのにおいがするほど顔を近づけて、ようやく中が見えた。座席。ハンドル。少し汚れたペダル。エアコンの吹き出し口にドリンクホルダーが取り付けられていて、プルタブの取れた缶コーヒーが置かれている。

反対側に回り込み、同じように中を覗いた。純江が座っていた助手席。そちら側の吹き出し口にも、ドリンクホルダーが取り付けられているが、飲み物は置かれていない。

長いこと、そこにいた。

やがて雨が降り出した。ぽつりぽつりと、いつまでも弱い雨だった。両手を身体の脇に垂らしたまま、慎一は雨の音を聞いた。父を見舞った静かな病院で、いつも同じリズムで聞こえていた点滴の音に、それはよく似ていた。

病室で慎一と二人きりになったとき、父が、退院したらグローブを二つ買おうと言ったのを憶えている。自分の病気が本当は何なのか、父は知らされていなかった。慎一も知らなかった。誰も本当のことを教えてくれなかったのだ。父本人も、慎一も、純江がベッドの脇で言っていたように、病気は「すぐによくなる」ものだと思っていた。だから慎一は、父がグローブの話をした週の日曜日、実際にスポーツ用品店を覗いて、いくつかのグローブの値札を見比べたりもした。慎一がそんなことをしているあいだ、父は病室の白い天井を見上げながら、蟹に内臓を食い破られていた。

それとも、父は本当は気づいていたのだろうか。気づいていたのに、知らないふりをしていたのだろうか。病室のベッドで父がときおり見せた、中身が空っぽになってしまったような虚ろな横顔を、慎一は思い出すことがある。あれは自分が死ぬことを知っていた人の顔だったのではなかったか。しかし、そうだとしたら、慎一が見舞いに行ったとき、父がグローブの約束をしたのはどうしてだったのだろう。

（七）

「このまえ富永くんが遊びに行ったんでしょ？」

教室で鳴海にそう訊かれたのは、それから数日後のことだった。

「……来たけど？」

「晩ご飯食べたって言ってたよ。すごい美味しかったって」

だから何だというのか。慎一はただ相手の顔を見返した。給食当番が、教壇の前に食器籠を並べはじめている。

「あたしも行ってみたいんだけど」

「どこに？」

「だから、利根くんの家。晩ご飯食べさせてよ」

いったいどうして急にこんなことを言い出したのか、さっぱりわからなかった。ひょっとすると、昭三と何か話をしたいのだろうか。たとえば自分の母親のことを。そう考えてもみたが、これまでの二年間、鳴海がそんな素振りを見せたことは一度もない。まさか純江と、自分の父親の話をするつもりではないか。しかし鳴海が二人のことを知っているとは思えない。

「富永くんはいいのに、あたしは駄目ってことないでしょ？」

「春也は、たまたま鎌倉まつりのあと寄っただけだよ」

言いながら春也の席を見たが、いなかった。そういえば今日、春也は給食当番だ。教壇のほうに目を移すと、かっぽう着をつけて、中華スープの大鍋の向こうでおたまを持っていた。

手紙の一件以来、春也とはまったく話をしていなかった。放課後に山へ行くのもやめた。きっとあの岩の凹みで、ヤドカリたちはもうみんな死んでいるだろう。体育の時間が来るたび、慎一は着替えをする春也の身体を盗み見た。あれから春也の腹がへこんでいることはなかった。痣や火傷らしきものも見当たらなかったが、もしかしたら、気づかれない場所にあるのかもしれない。はっきりとしたことはわからない。

「いいじゃない、あたしが行っても」

断る理由を探したが、すぐには見つからなかった。思わず視線を下げると、鳴海はそれを無理やり慎一が頷いたことにしたらしく、勝手に話を進めた。

「じゃ、決まりね。今日は？」

「今日？」

声が裏返り、周囲のクラスメイトたちが何人か視線を向けた。その中には蒔岡の目もあった。

「急には駄目だよ、お母さんと祖父ちゃんに、ちゃんと訊いてからじゃないと」

「じゃ、明日は？」

家に来られたりしたら、また机に手紙を入れられるのではないか。それが心配でもあった。

「帰ったら、訊いてみる」

それだけ言って、話を切り上げた。

夜になって純江と昭三に話してみたら、どちらも反対はしなかった。二人とも、わざとらしいくらいの笑顔で承諾した。

（八）

一日経った夕刻、慎一は玄関の前で鳴海を待った。だいたいの場所は教えたのだが、いちおう家の前にいてくれと言われたのだ。

背後を見ると、引き戸に夕刊が刺さったままになっている。いつもは配達されるなりすぐに昭三が抜き取って居間で読みはじめるのだが、今日はすっかり忘れられていた。慎一はその夕刊を眺め、潮風で色褪せた軒庇《のきびさし》を眺め、黴《かび》で黒ずんだ家の外壁を眺めた。鳴海の家は、きっと立派なのだろう。真っ白な壁に尖った屋根が載り、家の前には親子のロードバイクが並んで、その隣にはあのヴァンの駐車スペースがあるのだろう。

いつしか慎一の目は、軒庇の脇から延びた雨樋を見ていた。茶色いプラスチックの雨樋は、下の一メートルほどだけ色が違っている。ここへ引っ越してきてすぐ、長年割れたままになっていたのを、父が日曜大工で直したのだ。そのあと、最初の雨が降った日曜日、つなぎ目から水が漏れているのを慎一が見つけて父を呼ぶと、父はどうしてか嬉しそうな顔をして手直しをしはじめた。まだ身体に異変を感じる前のことだった。

顔を前に戻したとたん、目の前に蚊柱が迫ってきた。慌てて両手を振ると、路地の角に鳴海の姿が見えた。

「何やってんの？」

「蚊が」

言いかけて、慎一は鳴海が自転車に乗っていないことに気がついた。

「――自転車じゃないんだ」

「そう。今日はね」

もう一つ気づいたことがあった。服が、昼間学校で見たときと違っている。チェックのスカートは同じだが、上が違った。学校ではたしかひらひらの飾りがついたブラウスを着ていたのに、いまは地味な薄黄色のＴシャツだ。しかしそのことをわざわざ訊くのも変なので、慎一は黙っていた。

そのかわり、ずっと気になっていたことを訊いた。

「お父さんには、僕の家に行くって言ったの？」

短い間を置いて、鳴海は小さく首を横に振った。

「女の子の家って言ってきた」


「そんなの鳴海ちゃん、ヘソが茶を沸かすってもんだ」

「ヘソ――」

「馬鹿馬鹿しいってこと」

昭三がよく使う言い回しの意味を鳴海が知らなかったようなので、慎一は教えてやった。

「馬鹿馬鹿しいのが、何でヘソなの？」

「それは知らないけど」

「何でって言われてもなあ、昔っからそう言うんだ」

鳴海は視線を宙に浮かせて考え込み、それを見て昭三が笑った。普段から赤らんだ顔が、早めに入った風呂と早めに飲みはじめた酒のせいで、余計に赤くなっている。

「たくさん食べてね、鳴海ちゃん」

「あ、はいすいません」

純江はお勝手と居間とを行き来し、いつになくたくさんの料理を座卓の上に運んでいた。鯵の南蛮漬け、焼き空豆、胡麻豆腐、稚鮎の唐揚げ、イサキの刺身。それ以外にもまだ、なんだか知らないが、お勝手で鍋が火にかかっている。

純江の料理を鳴海は美味しい美味しいと言ってどんどん食べた。女の子はこんなにたくさん食べるものなのかと慎一は驚いた。横目で鳴海を見ながら箸を動かしていたら、皿の脇に南蛮漬けの汁がこぼれた。

「何だ慎一、ちゃんと前見て食え」

「慎ちゃん、こぼしたの？」

お勝手で鍋を覗いていた純江が振り返った。子供扱いされるのが厭で、慎一は返事をせずに卓上の布巾を取った。

親戚の女の子がたまたま遊びに来ている、といった雰囲気だった。昭三は単純に鳴海が来たことを喜んでいるようで、はじめこそ少しぎくしゃくしていたが、いまはすっかり楽しそうだ。慎一もだんだんと自分がその雰囲気に溶け込んでいくのを感じていた。ただ、純江だけはわからない。居間に入ってきたり、出ていったりだったので、ちゃんと顔色を見るタイミングがなかった。母はどんな気持ちで、鳴海に料理を出しているのだろう。

今度鳴海の父親と会ったとき、母は今日のことを話すだろうか。

話すに決まっている。鳴海は女友達の家に行くと言ってきたらしいから、父親は驚くだろう。しかしそのことについて父親が鳴海に何か訊ねることは、きっとない。純江から聞いたとは言えないからだ。純江と会ったことを、鳴海に話せないからだ。——そこまで考えて慎一は、鳴海の父親と純江がどこかでまた会うことを前提にしている自分に気がついた。

「祖父ちゃん、麦茶取って」

舌打ちのかわりに、声を出した。

「おお、麦茶麦茶……あれ、もうねえぞ」

卓上に置かれた硝子ポットの中身はほとんど空で、底のほうで紙パックがひしゃげている。

慎一が冷蔵庫に新しいポットを取りに行くと、お勝手で純江が肉じゃがを大皿に盛っているところだった。

「料理、まだあるんだ」

「せっかくだから、たくさんつくったのよ」

盛りかたも、エンドウ豆が綺麗に見えるよう工夫されていて、いつもと違っていた。鍋に向かった純江の表情は、顔の横に流れた髪のせいでよくわからない。

冷蔵庫を開けて新しい麦茶を取り出していたら、慎一にしか聞こえない声で純江は言った。

「綺麗な子ね」

文字で書いたような、平板な言い方だった。


慎一もまったく知らなかった話を昭三がはじめたのは、あれだけあった卓上の料理もあらかたなくなり、純江がお茶を淹れてプリンを出したときのことだ。

「ずっと昔だよ、小学生だった」

話題が、鳴海の習っている日本舞踊、鎌倉まつり、源義経、頼朝、鎌倉幕府、建長寺と進んだとき、昭三は急に話しはじめたのだ。座卓に肘をつき、自分だけはお茶ではなくまだ日本酒を飲みながら、ひどくゆっくりとした口調だった。すでにずいぶんと飲んでいて、そのときにはもう大丈夫だろうかと思うくらい顔も目も赤くなり、言葉も少し聞き取りづらかった。

「建長寺さんの裏山になあ、みんなで登ったんだ。みんなってのは俺と、友達が五人だった。全員丸坊主でな」

げっぷを鼻からすかし、目をしばたたいて昭三はつづける。

「ほんとはさ、行っちゃいけねえって言われてたんだ。あの山は危ねえからな。いまもあれだけど、昔は道なんてぜんぜんなかった。だから絶対に子供だけで行っちゃ駄目だって、大人たちに言われてた。いっつも言われてた。けど、子供は子供でさ、ちっちゃい大人じゃねえんだ。

駄目と言われりゃ、逆にやってみたくなるもんだよ、どうしたって」

夏の盛りのその日、学校が終わると、昭三たちは前々から相談していたとおりキュウリや味噌や煎餅を持って建長寺の境内に集まったのだそうだ。

「総門から入ると金を取られるからさ、別んとこから入ってよ。別んとこって、まあ柵を乗り越えるんだけどな」

鼻に皺を寄せて昭三は笑う。

境内の脇を抜け、半僧坊を越えて昭三たち六人は山に入った。汗だくになりながら急な斜面を登ったり、互いの尻を押し合って急場を越えたときの様子を、昭三は手真似を交えて臨場感たっぷりに話した。山の上に行き着くと、尾根づたいにあの十王岩のあるほうへと進んでいった。並べて彫られた観音様、お地蔵様、閻魔大王を見ているうちに、風が出てきた。あるとき、ひときわ強い風が吹きつけて、六人の目の前で岩が呻った。

昭三たちはたちまち凍りついたそうだ。

「いまの子供みてえに、頭がよくなかったからな。岩に彫られた仏像が、ほんとに声を上げたんじゃねえかと思ってよ」

いちばん怖がりの一人が、やがてべそをかきはじめると、昭三たちはいっそう怖くなった。もう帰ろうということになったが、中の一人が、持ってきたおやつを食べずに帰るのかと言う。

「あいつぁ、強がってたんだなあ、いま思えば」

あとで馬鹿にされるのが悔しくて、昭三も計画どおりおやつを食べて帰ろうと言った。するとほかのみんなも硬い顔で頷いた。べそをかいた一人だけは、最後まで厭がっていたが、一人で山道を戻ることもできず、しぶしぶ従《つ》いてきた。

やぐらの中で食べないかと言い出したのは昭三だった。

「あそこがどんな場所だか、そりゃ俺も知ってた。知ってたから、そんなこと言ったんだ。最初におやつを食べて帰ろうって言った奴と、俺ぁいつも張り合ってたもんだからな、度胸のあるところを見せたくてよ」

薄暗いやぐらの中で車座になり、昭三たちはおやつを食べはじめた。そうしているうちに、やぐらの外では風がいよいよ強まっていき、やがてキュウリや煎餅を嚙《かじ》る音が搔き消されるほどになった。ときおり岩の呻り声が響き、しばらく聞こえなくなったかと思うと、また忘れた頃に響き、そのたび六人は腹の底に力を入れて我慢した。

「おっかなかったなあ……ほんとに怖かった」

おやつがなくなってからも、まるで我慢大会のように誰も立ち上がらなかった。互いが互いの顔を見やり、誰かが先に帰ろうと言い出すのを待った。べそかきの一人だけは、じっとうつむいたまま、つぎはぎだらけのズボンの裾をずっと両手で握っていた。やぐらから見える西の空が赤らんでくると、さすがにみんな顔色が変わった。

「おやつを食おうって言い出した奴が、最初に立ち上がった。もういいかげん戻らねえとまずいってな。俺ぁ、勝ったと思ったよ。思って、こっそり拳を握ったよ」

六人でやぐらを出た。風は相変わらず強く吹き、空気をやたらに搔き回している。だんだんと暗くなっていく山道を戻っているうちに、べそかきがまた泣き出した。誰も相手にしなかった。みんな、先を急ぐのに夢中だった。べそかきはしだいに涙をこぼし、うう、うう、と声を洩らして、両手で顔を隠すようにしながら従いてきた。

そして、しだいにみんなから遅れはじめた。

「そんときな……また、風が吹いたんだ」

日本酒の湯呑みを見つめる昭三の目に、ふっと芯が入った。

「いちばん強い風だった」

背後から、岩の呻り声が響いてきた。長く、長くつづいた。とうとうその呻り声が消えるとき、昭三たちは何かが崩れるような音を聞いた。短い声も、聞こえた気がした。全員で同時に振り返ると、べそかきの姿がどこにもなかった。

「尾根の道から、滑り落ちたんだ」

大騒ぎになった。昭三たちは慌てて引き返し、口々にべそかきの名前を呼んだ。落ちたと思われる場所から、暗い谷を覗いた。しかし、よく見えない。べそかきの返事も聞こえてこない。

「周りがどんどん暗くなってきてな、俺たちぁみんな、ぶるぶる震えてた」

死んだかもしれない。落ちて死んだかもしれない。五人は互いのシャツを握りながら上ずった声で言い合った。

「そんときな……最初に逃げたのは」

手に持った湯呑みに視線を落とし、昭三は息の多い声で言った。

「俺だったんだ」

昭三が山道を駆け出すと、あとの四人もすぐさま追いかけてきた。転び、腕を擦り剝き、服にかぎ裂きをつくりながら五人は一気に山の下を目指した。

「はあはあいう、みんなの息だけが聞こえてな、野良犬がひとかたまりになって逃げていくみてえでな」

山を下りると昭三たちは、今日のことは人に話さないと互いに固く約束した。誰に聞かれるかわからないので、自分たちのあいだで今日の話題を出してもいけない。もし約束を破った者がいたら、ほかの全員がその一人をリンチにかける。そう決めた。

「……その人、どうなったの？」

訊いても平気だろうか。不安に思いながらも慎一は質問せずにはいられなかった。昭三は湯吞みの酒を一口舐め、鼻から長い息を吐いて答えた。

「見つかったよ……二日経ってからな」

「やっぱり、死んでた？」

昭三は掌の付け根でとんとんと額を叩きながら首を振る。

「死んじゃいねえ。ただ、怪我をしてたな」

登山をしていた大人によって偶然発見されたとき、べそかきは左足に大怪我をしていたのだという。もうすでに化膿しはじめていて、当時は医療技術も発達していなかったので、治療の甲斐なく障害が残り、歩くときに目立って左足を引き摺るようになった。べそかきは、昭三たちといっしょに山へ入ったことを誰にも話さず、一人で山に登って尾根から落ちたと、親や教師に説明したらしい。

「俺たちも、約束どおり、そんときの話は二度としなかった。小学校を卒業して、みんなと別れたとき、俺ぁほんとにほっとしたよ」

膿んだように濡れた目を、昭三はゆっくりと一度まばたかせた。

「まあ、ほんの少しのあいだだけだったけどな、ほっとしたのは」

いまでも、夢に見るときがあるのだという。

「あの暗い尾根道でな、自分の後ろから悲鳴が聞こえて、俺ぁ振り向きもしないで逃げ出すんだ。そうしたら、後ろからばたばた足音が近づいてきて、どんどん近づいてきて、怨んでるみてえな、はあはあいう息が耳のすぐ後ろに迫ってきて、俺の――」

静脈の浮いた手で、昭三は部屋着のズボン越しに、膝までしかない左足を撫でた。

「こっちの足をな、ものすごい力で摑むんだ」

昭三が黙り込むと、それまで意識していなかった掛け時計の針の音が、急にはっきりと聞こえてきた。昭三が湯呑みの酒をすする音も、それをすったあと唇がぱちりと隙間を空け、そこから疲れたような息が洩れ出る音も、みんな聞こえた。

「あれからな、俺ぁずっと思ってる」

誰の顔も見ずに、昭三は言った。

「何にでも、きっと理由ってのがあんだ。世の中のことぜんぶにな、ちゃあんと理由がある。

俺の足が切られたのも、あんときあいつをろくに探さねえで、逃げ帰っちまったからだ。いの一番に逃げ出したからだ。何だって、けっきょくはさ――」

もう一度、のろのろと左足を撫でる。

「けっきょくは、自分に返ってくんだ」

昭三の話を聞いているうちに、慎一もそんな気になってきた。何かと何かが見えない糸でつながっていて、どちらかを引っ張るともう片方も引っ張られる。そんなイメージが頭の中に浮かんだ。

――が、ふと父のことを思った。

父が病気に侵されたのも、だんだんと痩せていって死んだのも、何か理由があったのだろうか。あんなふうになってしまう理由というのは、いったいどんなものなのか。目を上げて、純江のほうを見た。純江は湯呑みに両手を添えたまま、ゆるく唇を結んでいる。その目が、あるときふっと真っ直ぐになった。何かに気づいたように顔を上げ、純江は慎一のすぐ横に視線を向けた。

「……鳴海ちゃん？」

慎一もそちらに目をやった。鳴海は出されたお茶にもプリンにも手をつけず、じっとうつむいている。膝の上に置かれた両手は強く握られ、小さな関節が白く浮き出ていた。右手はプリンといっしょに出されたスプーンを摑んだままだ。慎一は鳴海の顔を覗き込んだ。歯を食いしばり、鳴海は自分の膝先を真っ直ぐに睨みつけていた。

「あたしの――」

押しつぶされた隙間から洩れ出たような、細い声だった。鳴海は慎一に聞こえるほど大きく息を吸い、こんどはとてもはっきりとした声でつづけた。

「あたしのお母さんも、自分のせいで死んだんですか？」

酔ってしょぼついた昭三の目が、すっとひらかれて鳴海の顔に向けられた。

「お母さんは、誰かを殺したから、自分も死んだんですか？」

「いや、鳴海ちゃん、俺ぁ――」

昭三の目が途惑って揺れた。何か言おうとして息を吸うが、痩せた咽喉からは声が出てこない。乾いた唇が、言葉を探して、そこだけ別の生き物のように動いた。

先に声を出したのは純江だった。

「鳴海ちゃん、違うのよ、いまの話は」

純江の言葉が終わる前に、鳴海は右手に握ったスプーンをいきなり畳に叩きつけた。スプーンは大きく跳ねて横へ飛び、テレビの下に置かれた棚の、耳かきなどを入れている箱にぶつかった。勢いよく立ち上がり、ものも言わずに背中を向けたとき、隣に座っていた慎一の肩に彼女の膝がぶつかったが、慎一がその痛みを意識する前に鳴海は居間を出ていった。慎一と純江が同時に立ち上がった。先に追いかけたのは玄関側に座っていた慎一だった。まだ揺れている暖簾をはね除けて居間を飛び出たとき、がらりと引き戸の音が響き、鳴海の背中はもうその向こう側にあった。

「待って」

スニーカーをつっかけて追いかけた。鳴海の姿は暗い角を曲がって見えなくなる。そのとき背後で、何か大きな音が聞こえたが、振り返っている暇などなかった。慎一はただ夢中で両足を動かして路地を駆けた。

ようやく鳴海に追いつくことができたのは、あの橋の上だった。

いや、追いついたのではない。鳴海がそこで急に足を止め、強い視線で慎一を振り向いたのだ。

「平気だと思ったのに」

夜の中に反響するほどの、鋭い声だった。

「平気だと思ったから、ご飯食べに行ったのに」

言葉の意味が摑めず、慎一はただ立ち止まって身体を固くした。鳴海は泣いてはいない。しかしそれは涙が流れていないというだけで、唇を引き結び、細い咽喉に力を入れ、両手の拳を握って慎一を睨みつけている彼女は、全身で泣いていた。何か言おうとして、言おうとして、慎一は息を吸い込んだが、先ほどの昭三と同じように、吸い込んだ息が吐き出せず、どうしても言葉が出てこなかった。

張り詰めていたものがふっと解けたように、あるとき鳴海の全身から力が抜けた。急に寂しそうな顔になり、彼女は慎一に背中を向けて橋の向こうへ歩き去ろうとした。やっとのことで慎一は声を取り戻したが、口から洩れ出たのは、「ごめん」という無意味な言葉だけだった。

言ってから慎一は、鳴海がいっそう怒るかもしれないと思った。振り向いて、さっきよりも強い目で自分を睨みつけるかもしれない。何故ならその謝罪は、叱られたとき、もうそれ以上叱られないために口にする謝罪と何も変わらなかったからだ。しかし、鳴海の気持ちをきちんと捉えられずにいる今の慎一には、謝ることしかできない。それしか考えつかなかった。

足を止めた鳴海の背中に、もう一度言った。

「ごめん、ほんとに」

振り向いた鳴海は、ただ寂しい目をしていた。

「いいよ。あたしが勝手に怒ったんだから」

疲れてしまったように、鳴海は残りの息を静かに吐き出した。顔をそむけ、橋の欄干に近寄って背中を預ける。

慎一は恐る恐るそばへ近づいた。何を言おう。どんな言葉をかけよう。もう二度も謝ったので、これ以上はしつこい。かといってほかに言うべき言葉など見つからない。

「お母さんとお祖父さんに、謝っといて」

先に口をひらいたのは鳴海だった。

「せっかく美味しいご飯、食べさせてもらったのに」

「平気だよ」

どうしてこんな言葉しか返せないのか、慎一はつくづく自分が厭になった。

足元から水音が響いてくる。欄干のずっと先で、見えない波がつづけざまに砕け、その波音が途切れたとき、うつむいたまま鳴海は言った。

「あたしね、自分にお母さんがいないこと、ほんとはずっと気にしてたんだ」

慎一は黙って頷いた。

ついさっき、彼女が手に持ったスプーンを畳に投げつけるまで、慎一は情けないことに、まったくそれに気づいていなかった。鳴海に母親の話をされたことが、これまで一度もなかったからかもしれない。慎一は長いこと、こんなふうに考えていたのだ――鳴海がまだ赤ん坊の頃に母親は亡くなってしまい、つまりそれはもともといないのと同じようなもので、案外彼女は平気でいるのではないか。母親を事故に巻き込んだ昭三の、孫である慎一と、だから彼女は学校で普通に接しているのではないか。

しかし、大きな間違いだった。鳴海は母親がいないことがずっと哀しかったし、ずっと寂しかった。

「利根くんのお祖父さんのことも、ずっと怨んでた」

そう、昭三のことも怨んで当たり前だったのだ。なのに鳴海は、昭三の孫である慎一と、これまで仲良くしてくれていた。

「ほんとは、三年生の夏に利根くんが引っ越してきて同じクラスになったときも、厭で厭でしょうがなかった。お母さんを事故に遭わせた人の家族と、何でいっしょに授業受けなきゃいけないんだろうって、毎日悔しかった」

鳴海から聞いた初めての言葉は、一粒の氷のように、慎一の胸に冷たく落ち込んだ。

「でも――」

それならどうして、自分と仲良くしてくれていたのだ。クラスのみんなが無視しても、何故鳴海だけはそうしなかったのだ。

「利根くんのことが厭だったのと同じくらい、あたし、そう思っちゃう自分のことも厭だったの。だから、利根くんとは普通に喋ろうって決めたの」

「ずっと……無理してたってこと?」

やっとの思いで訊き返すと、鳴海は小さくかぶりを振った。

「去年の夏、利根くんのお父さんが病気で死ぬまで」

「じゃあ」

「利根くんにお父さんがいなくなって、初めてほんとに、無理しないで普通に喋れるようになった。あたしと利根くんが同じことになって、初めて」

急にわいた怒りが、鳴海への同情を一瞬で覆った。

父が病気に侵され、どんどん痩せていき、喋れなくなり、身体にチューブをつながれて死んでいったとき、鳴海はそれを喜んだというのか。自分と慎一がこれで同じ条件になったと、父の死を歓迎したというのだろうか。――慎一が何か言う前に鳴海がつづけた。

「べつに、お互い様だからっていうことじゃないの。だってそんな、算数みたいに足し算とか引き算できるものじゃないでしょ? 家族が死んじゃうって、そんなことじゃないでしょ?」

そう、鳴海は誰よりそれを知っているはずだ。

「利根くんのお父さんが死んだって知ったとき、あたし、それまでの自分から逃げ出す……何だろう……逃げ出すための……」

鳴海は言葉を探して眉を寄せた。

「理由みたいなのを、やっと見つけられたんだと思う」

「――理由？」

訊き返すと、鳴海は頭の中を整理するように小首をひねった。

「一生懸命無理してた自分から、逃げ出す理由っていうのかな。たぶんあたし、ずっとそれが欲しかったんだと思う」

考えているうちに、慎一はなんとなくだが、鳴海の気持ちを理解できる気がしてきた。自分の感情を抑えて慎一と普通に接していることが、鳴海はどうしようもなく辛かったのだろう。だから慎一の父が死んだとき、それを、辛さを忘れるための理由にしたのだろう。

「でも、それからも、お祖父さんのことだけはまだ許せなくて」

そう言ったときの鳴海の声は、それまででいちばん哀しそうだった。

「いまも、そうなの？」

だとしたら、どうして彼女はわざわざ家に来たりしたのか。

鳴海は曖昧に首を振って目を伏せた。

「最近になって、少し変わってきた。許せないっていう気持ちが、ちょっと薄れてきた。だから富永くんが利根くんの家でご飯食べたって聞いたとき、あたしも行ってみようって思ったの。

いっしょにご飯食べさせてもらって、お祖父さんといろんな話をしてみようって。去年、利根くんと無理しないで普通に喋れるようになったとき、すごく気が楽になったのを憶えてたから——」

もし昭三とも同じように仲良くなれれば、いまよりももっと楽になれる。鳴海はそう思ったのだろうか。

「お祖父さんの話を聞いて、何であんなふうになっちゃったのか、あたし自分でもよくわからなかった。べつにお祖父さん、あたしのお母さんのことを言ったわけじゃないのに、何であんなに急に、気持ちが抑えられなくなっちゃったのか」

鳴海は欄干から背中を離して慎一に向き直った。

「でもいま、なんとなくわかった気がしたんだ。たぶん、あたし自身が、お母さんが死んじゃった理由とか、自分にお母さんがいない理由を、ずっと探してたからなんだと思う。だって、利根くんと普通に喋れるようになったときみたいに、もし何か理由が見つかったら、気持ちが整理できるかもしれないでしょ？　楽になれるかもしれないでしょ？　だからあたし、ずっとそれを探してたの。でも……人が死ななきゃならない理由なんて、なかなか思いつかないよね」

そんな気持ちでいるときに、昭三があんな話をしてしまったのだ。

しかし、思えば昭三も、ある意味では鳴海と同じだったのかもしれない。そんなことを慎一は考えた。いつも昭三は自分の足のことを気にしていないような素振りを見せているが、本当は辛いに決まっている。慎一が物心ついたときには既に昭三の左足はなかったが、昭三にしてみれば、長い年月、たしかにそこにあったはずのものが、ある日突然なくなったのだ。相当に辛かったろうし、ましてやその辛さを慎一や純江に見せまいとして、わざとどうでもよさそうに振る舞うのはなおさら辛かったろう。学校の昼休み、自分をからかう手紙を読んだときのことを慎一は思い出した。本当は哀しいのに、本当は悔しいのに、何でもないような顔をして授業を受けたときの辛さを思い出した。きっと昭三は、その何倍も我慢をしてきたことだろう。自分が左足を失ったのを、山に友達を置き去りにしたせいだなどと考えたのは、もしかしたら鳴海と同じように、何か「理由」が欲しかったからなのかもしれない。

「ごめんね、自分のことばっかり話して。利根くんだって、大変だよね」

弱々しい目を上げて、鳴海はそこでいったん言い淀んだ。

「いろいろ、大変だよね」

たしかに慎一も、この土地に引っ越してきてから、楽しい毎日を送ってきたとはとても言えない。とくに父が死んでからは。しかし自分だけではないのだ。鳴海だって大変だ。昭三だって大変だ。春也だって、もしかしたら純江だって——。

「でも、最近ちょっと元気だったでしょ、利根くん」

急に、鳴海が語調を変えた。

「そう?」

「ぜんぜん違ったよ。何かあったのかなって、あたし気になってたくらいだもん。毎日、富永くんと校門で待ち合わせてどっか行ってるじゃない？　あれ何してるの？」

「何って……」

春也といっしょにあの山へ行くようになってから、そんなに自分は変わっていただろうか。鳴海が気にするほど。

ずっと行っていないあの場所のことを、慎一は思った。とても懐かしい気がした。春也と代わりばんこに運んだビニール袋の海水や、凹みの底を這い回るヤドカリや、二人で食べたイチゴ。ポテトチップスはジャガイモの味がして、唇についた塩は甘かった。慎一は鳴海を見た。口許にはほんの少し笑みが浮かんでいるが、その表情は微笑む前よりもいっそう哀しげだった。

あの場所に、鳴海を連れていってあげたいと慎一は思った。

第四章

（一）

「何匹？」

「二匹やけど」

「こっちは六匹。もういいでしょ」

ガドガドの裏に戻ると、ステップに座っていた鳴海がさっと立ち上がった。待ちきれなかったというように、両目を丸くひろげている。

「たくさん捕れた？」

「いや、八匹。春也のほうがちょっと少なくて」

からかったつもりだったのだが、春也は何の反応も見せず、ビニール袋を担いだまま木々のあいだへ入っていった。見ているあいだにも、チェック柄のシャツがだんだんと木の葉の向こうに隠れていく。

「ねえ、富永くん、怒ってるんじゃないの？」

鳴海が顔を寄せて囁いた。

「何で？」

「だって、二人の秘密の場所だったんでしょ、その岩。利根くんが勝手にあたしに教えちゃったから――」

「春也はいつもあんな感じだよ」

そうは言ったものの、春也が怒っているのは明らかだった。そしてその怒っている理由が、まさに鳴海の言うとおりだということも慎一は承知していた。

「行こう」

鳴海を促し、春也を追いかけた。

月曜日の今日、見せたいものがあると言って慎一は鳴海を誘った。あの岩やヤドカミ様のことを簡単に聞かせると、鳴海は興味津々の様子で、行ってみたいと頷いた。慎一はそのことを春也に話し、放課後、こうして三人でガドガドの裏に集まったのだ。

何故鳴海を連れていくのかという理由については、話すと長くなるし、そもそも上手く話せる自信がない。慎一はただ、いつも放課後にどこへ行っているのかと鳴海に訊かれたので、あの岩やヤドカミ様のことを喋ってしまったのだと説明した。春也は別段厭そうでもなく、「えよ」とあっさり頷いたのだが――いま思えば、あのとき春也はすでに腹を立てていたのだろう。ほとんど目を合わせようとしなかった。それを慎一は、二人が口を利かずに過ごしたこの一週間あまりのせいだと考えたのだが、違ったらしい。鳴海を連れていくことをきっかけに、春也ともまた以前のように放課後の時間をいっしょに過ごせるようになるのではと考えていた慎一は、ひどくもどかしい気分だった。

昨日、慎一は純江と二人でバスに乗り、病院の昭三を見舞った。頭に包帯を巻いた昭三は、ベッドに横たわったまま、病院はやることがないから屁ばっかりこいているなどと言って笑っていた。ちゃんと見ることができないほどの、わざとらしい笑顔だった。

二日前のあの夜、橋の上で鳴海と別れてから家に戻ると、玄関の前に赤色灯を消した救急車が停まっていた。純江が早口で説明したところによると、玄関を駆け出ていった鳴海を昭三が慌てて追いかけようとし、三和土の壁に立てかけてあった杖を摑みそこねて、框《かまち》から転がり落ちたらしい。

驚いて慎一が覗き込んだ救急車の中では、昭三が白髪頭を赤く染めて細長いベッドに横たわっていた。慎一が何か言う前に、平気平気と祖父は掌《て》を振った。

——うっかりなあ……呑み過ぎちまって。

苦笑を顔に残したまま、昭三は救急車の天井を見上げた。白いライトの下で、その目は濡れて光っていた。

そのときになって初めて慎一は、今日にかぎって昭三があんなに酒を呑んでいた理由がわかった気がした。鳴海と向き合っているのが、怖かったのではないか。だから、いつもよりずっとたくさん酒を呑んでしまったのではないか。

——鳴海ちゃんには、ほんとに悪いことしちまったなあ。

喋るたび、上を向いて尖った喉仏が、皮膚の下に別の生き物がいるように動いた。

——明日にでも、謝りに行かねえと。

しかし、それはできなかった。純江が同乗して救急車は病院へ向かったのだが、二時間ほどすると純江だけが帰ってきて、昭三は入院することになったと告げた。

昭三の怪我のことは、鳴海には話していない。純江もそのほうがいいという意見だったし、もし母に言われないでも、きっと話さなかっただろう。

昨日、医者が純江に説明したところによると、どうやら昭三は頭の骨に罅《ひび》が入り、詳しい検査結果はまだ出ていないが、頭の中にも何か怪我の影響がありそうとのことだった。

「春也、もうちょっとゆっくり」

「何でや、いつもどおりやん」

山道の先でちらりと振り向いただけで、春也はすぐにまた前に向き直ってしまった。歩調を緩めようともしない。

「……平気?」

「大丈夫。でもこの道、すごいね。いつもこんなとこ登ってるの?」

鳴海はサイクリングを趣味としているわりには足取りが頼りなく、途中で何度も立ち止まっては息をついたし、急場を越えるときには慎一の腕を頼りにした。

頭上を覆う葉が、初めてここに登ったときよりもずっと青々としている。山桜はいつのまにか花弁を落としきり、その花弁も風ですっかり吹き払われたらしく、どれが山桜だったか、もうよくわからなくなっていた。

三人は山を登りきった。

ヒトリシズカという名前を、慎一は鳴海に教えてもらって初めて知った。岩のまわりにたくさん生えていた、あの十字の葉を持つ白い花だ。静御前が舞っているように見えるので、そういう名前らしい。

「踊りの先生が教えてくれたの。――あれがその岩？」

まだ息を弾ませたまま、鳴海は慎一のそばを離れて岩に近づいていく。岩の前では春也がしゃがみ込み、日よけの枝と網を退《ど》けて、もう凹みの水を汲み出しはじめていた。

「春也、どう？」

「死んどるに決まっとるやろ。みな死んどるわ」

予想どおり、九匹のヤドカリは全滅していた。貝殻からだらりと身体をはみださせ、半分腐ってくたくたになっている。凹みの水は少し臭った。岩を飾った色紙は糊が剝がれて地面に散らばり、シュロ紐でつくった注連縄だけが、ささくれ立って残っている。

春也といっしょに水を汲み出し、凹みに新しい海水と八匹のヤドカリを入れた。

「ここで飼ってるんだよ」

慎一は鳴海を振り返って説明した。

「この網でヤドカリが逃げないようにして、上に木の枝を載せとくことにしてる。春也が考えたんだ。最初はビニールでやったんだけど、それだと水があったかくなっちゃって――」

「喫おか」

途中で春也が遮った。

「あと一本ずつあったやろ」

鳴海は意味がわかっていないらしく、慎一の話のつづきを待つ表情でこちらに顔を向けている。春也に目を戻すと、もう岩の裏手に回り込んでおり、ほどなくして煙草の箱とライターを手に戻ってきた。二本抜き出し、殻になった箱を握りつぶして灌木の中に放る。一本を口に咥えると、もう一本を無言で慎一のほうに突き出した。

「煙草のことなんて言ってなかったじゃん」

鳴海が表情を硬くした。春也はそんなことはおかまいなしに、くい、と手にした煙草をもう一度突き出してくる。

「べつに、ほんとに喫うわけじゃないよ。遊びで、春也がお父さんのやつを持ってきて――」

唇に煙草を押しつけられ、反射的にそれを咥えた。春也はポケットからライターを取り出し、片手で火を囲んで吸いつけた。ぱっと煙を吐き出すと、まだ炎が伸びたままのライターを、こんどは慎一の口許に近づけてくる。

慎一も火をつけた。

鳴海は唇を真っ直ぐ横に結んで、じっとこちらを見ている。煙草の先から立ちのぼる煙が、弱い風に乗って鳴海の顔のほうへ流れた。鳴海はぐっと上体を引いて眉を寄せたが、その場から動きはしなかった。

「何しとんねん、もったいないやろ」

煙草を指に挟んだまま喫わずにいたことを、春也に気づかれた。慎一は曖昧に返事をし、仕方なくフィルターを咥えた。それからは、春也が見ているときだけ煙をふかし、春也が目を向けていないときは口許に煙草を持っていく仕草だけした。鳴海は何も言わずにじっと立っていた。

まだ半分以上燃え残っている煙草を、慎一はしゃがみ込んで土の上で揉み消した。いつもは地面に落とし、スニーカーの底で踏みつけて消すのだが、慣れているように見られるのが厭だった。

慎一の煙草が消えたとき、春也が自分の咥えていた煙草を唇から離し、無言で鳴海のほうへ差し出した。意地悪な色が両目に浮かんでいた。鳴海が驚いて見返すと、春也はさっき慎一に対してやったように、くい、とフィルターで鳴海の顔を突くようにした。

鳴海が煙草を受け取ったので、慎一はびっくりした。何秒かのあいだ、彼女は煙の立ちのぼる火先をじっと見つめていたが、やがてフィルターを口許へ持っていった。思い切って、という感じではなく、もっと低学年か、幼稚園くらいの子供が、何か知らない遊び道具を渡されたときのような顔つきだった。それでも、近づいてくる煙草を見つめる両目には不安が浮かんでいた。鳴海が臆病に尖らせた唇の隙間に、白いフィルターがゆっくりと入っていくのを、慎一は息を殺して見た。自分が初めて煙草を口に含んだときよりも、もっと怖くて、もっと心配で、背中が痺れるようだった。フィルターから口の中へ煙を吸い出した瞬間、鳴海は小さく声を洩らした。煙草を口から離すのではなく、顔のほうを遠ざけるようにして、彼女はフィルターを唇から抜き出した。口のまわりに、ふわっと白い煙がふくらんだ。

眉間に力を入れ、鳴海はもごもごと口を動かしている。口の中に残った苦い味を、舌でこそぎ落とそうとしているのだろう。初めてのとき、慎一もそうした。春也は鳴海から煙草を受け取ると、自分ではもう喫わず、地面に落として踏み消した。

「あぶり出そか」

慎一の顔を見ずに言い、春也は凹みの前に屈み込んだ。慎一もすぐ隣にしゃがんだが、そのときにはもう春也はヤドカリを一匹つまんでいて、入れ替わるように立ち上がった。そのまま岩の後ろに向かっていくので、慎一は鳴海に「こっち」とだけ声をかけ、ついていった。

岩の後ろで、三人は三角形に向き合ってしゃがんだ。

春也はポケットからライターを取り出すと、目だけを鳴海に向けて言った。

「ヤドカリ、支えといてくれへん?」

相手を試すような口調だった。

「え、どうすんの?」

「慎一、鍵」

鳴海に渡せと目顔で言う。

「それにヤドカリ載せて、持っとったらええねん」

どうやってヤドカリをあぶり出すかは話してあったので、鳴海はすぐに自分が何をするのかわかったようだ。素直に頷いて慎一のほうへ手を伸ばした。しかし慎一が差し出した家の鍵を見て、驚いたように言った。

「え、家の鍵ってそんなに小さいの？」

「うちの玄関、古いから」

「指、火傷しない？」

「葉っぱを巻いて持てば大丈夫。僕も、いつもそうしてる」

鳴海は慎一の鍵を受け取り、細い部分に手近な落ち葉を巻きつけた。ヤドカリを載せる四角い穴は、鍵をつまんだ親指の、爪のすぐ近くだった。春也がそこに、まだ濡れているヤドカリを逆さまに載せた。

シュッとライターが鳴る。薄らいでよく見えない炎が、ヤドカリの下へ動くと同時に、鳴海は素早く手を引いた。

「何やっとんねん」

「ごめん、ちょっとびっくりした」

鍵を持った右手の手首を、左手で支えるようにして、鳴海はふたたび春也のライターを待った。春也がライターを近づけていく。鳴海は今度は逃げなかったが、ゆるい風が吹いて炎が自分のほうへ傾くと、唇の隙間から短く息を吸い込んで、やはりまた手を引いてしまった。

「平気やて、火傷なんてせえへんから」

「でもこの鍵、やっぱり小さいよ。いま熱かった」

自分の家の鍵が小さいことを、慎一は申し訳なく思った。

「ほんなら自分の家の鍵でやればええやろ。持っとるんちゃうの、鍵」

鳴海は頷いたが、しかしすぐに首を横に振った。

「どっちやねん」

「持ってるんだけど……」

しばしためらうように唇を結んでから、鳴海は脇に置いていた自分のスポーツバッグに手を伸ばしてファスナーを開けた。バッグの中にはまた小さなポシェットのようなものが入っていて、そこから家の鍵が出てきた。

ころん、と音がした。

「これがついてるから」

鍵の頭には、黄色い紐でつながれて、小さな焼き物の鈴がついている。紐も鈴も、ずいぶんと汚れて黒ずんでいた。

「なんやそれ」

「身代わり鈴。長谷寺《はせでら》の」

慎一も見たことのある鈴だった。持ち主に悪いことが起こりそうになったとき、身代わりになって割れてくれるというもので、長谷寺の境内で売られている。

「お母さんのだったんだけど、あたしがもらったの。ずっとつけてるの」

「そんなん外せばええやん」

「外せないの」

「何でや」

鳴海はもう言葉では答えず、ただ首を横に振った。

春也は鼻から短い息を吐いた。ひどく馬鹿にしたような、そのことをわざと相手に悟らせるような仕草だった。つぎに春也が何を言おうとしているのか、慎一はわかる気がした。

「ほんでも、その鈴――」

「春也」

すんでのところで、慎一はそれを遮った。

「外せないいって言ってんだから、もういいじゃん」

春也は言葉を呑み込んで目をそらす。しかし鳴海は春也が呑み込んだ言葉を聞き取ってしまったらしい。

「事故に遭ったとき、お母さんはこの鈴を持ってなかったの。お財布につけてたんだけど、船に乗るときはお財布を持っていかなかったから」

沈黙が降り、慎一が何か言おうと口をひらきかけたとき、春也が聞こえるか聞こえないかの音で舌打ちをした。

「ほんなら慎一の鍵でやりいな。その鈴を外せへんのやったら」

鳴海は目を伏せたまま返事をしない。

「いいじゃん、春也。今日は僕がやるから」

「まあ、べつにそれはええのやけどな、誰がやっても同じなんやし。ほんでもライターの火ぃくらい怖がっとったら――」

「御守りとか、そういうのが何もついてない鍵を、こんど持ってくればいいんだよ。家から。ねえ、家にあるでしょ？　そういう鍵が一本くらい」

「あったかな……」

思い出すように鳴海は地面を見つめていたが、やがて「あ」と顔を上げた。

「家の鍵はあたしとお父さんのしかないんだけど、車のキーが二つあった。スペアのほうにはたしか、頭のとこにプラスチックのカバーがついてなかったから、あれがちょうどいいかも」

「ほら」

慎一が顔を向けると、春也は面倒くさそうに頷いた。

「ほんなら、今日は俺と慎一でやろか」

三人の中心にいたヤドカリが、いつのまにかいなくなっていた。まわりを見回すと、少し離れた場所で、土から顔を出した石に、慎重な手つきでハサミをあてている。慎一はそれを捕まえて自分の鍵に載せた。

春也が下からライターであぶったが、ヤドカリはなかなか出てこない。そのせいもあったのだろうが、何より久しぶりだったので、貝殻の口からとうとうヤドカリが飛び出してきたとき慎一は思わず短い声を洩らしてしまった。しかし鳴海の声のほうがずっと大きかった。

「そっち、富永くん、そっち行った！」

「大丈夫やて、いつもやっとるのやから」

しかし春也は、自分の左側に向かって駆けていくヤドカリを捕まえようとして体勢を崩した。

いつになく長いことしゃがんでいたせいで足が固まっていたらしい。「お」と地面に肘をつき、恥ずかしさから素早く体勢を立て直そうとして、今度はスニーカーの底を滑らせた。左肘と右膝が地面につき、右手と左足は浮いているという変な恰好の春也に目もくれず、鳴海は逃げるヤドカリを追いはじめた。ちょこちょこと進んではしゃがみ込んで地面に手を伸ばし、逃げられてはまたちょこちょこと進んでしゃがみ込む。三度目にして、とうとうヤドカリは彼女の手に捕らえられた。自慢顔でこちらを振り返った鳴海の顔が、急に驚いたものに変わった。

「挟んだ、これ挟んでる！」

どうしていいかわからないというように、右手のヤドカリを左手で指さしながら春也と慎一に交互に顔を向けてくる。見れば、たしかにハサミが鳴海の指に食い込んでいた。しかしヤドカリの力はそんなに強いものではなく、痛いと感じはするのだが、じつはそれはびっくりするからそう感じるだけで、本当はべつに痛くない。それをもう十分に知っていた慎一は、落ち着いて鳴海の手を片手で支え、ヤドカリのハサミをつまんで外してやった。

「痛かったあ……」

鳴海は大げさに顔をしかめながら指先をさすっている。こんなものじつは痛くないんだよと教えてやるため、慎一は鳴海からよく見える位置で、わざとヤドカリに自分の指を挟ませてやった。ぐい、とハサミが肌に食い込んだ瞬間、慎一はそれが珍しく力の強いヤドカリであることを知った。「い！」と声が洩れ、足ががに股になり、痛みのあまり首が前に突き出して前歯がぜんぶ剥き出しになった。

「ちょっと、何やってんの！」

驚愕の声とともに鳴海が手をさしのべてきたが、助けを借りる前に慎一はどうにかヤドカリのハサミを指から引き離すことができた。挟まれたところが白くなっていた。

「びっくりした……」

「なんでわざわざ挟ませるのよ」

「いや、いつもこんなに強くないから」

「そうなの？」

なんとなく言葉が途切れ、二人で春也のほうを見た。春也は土で汚れてしまった肘と膝を、叩くようにして払っていたが、慎一たちと目が合うと、ついとその目をそらした。

「何を騒いどんのや、指挟まれたくらいで」

慎一たちを馬鹿にすることで、自分が変な体勢を披露したことを明らかに誤魔化そうとしていた。失敗の度合いとしては、どっちもどっちだと思ったので、慎一は何も言わなかったが、本当は声を上げて笑いたかった。

春也と慎一で、その日はヤドカリを焼いた。

（二）

翌日、授業が終わると、慎一は鳴海と連れ立って校舎を出た。先に教室からいなくなった春也が校門で待っているとばかり思ったのだが、いない。

「春也、先に行ったのかな」

「ちょっと待ってる？」

「いいよ、たぶんガドガドの裏でいっしょになるでしょ」

海沿いの道を並んでたどり、ガドガドの裏を覗くと、やはり春也はそこにいた。慎一たちを見るなり立ち上がり、黙ったままビニール袋を持って脇を過ぎていく。慎一はすぐに追いかけ、海でいっしょに水を汲んだ。

山道では、昨日と同じように春也が慎一たちの数歩先を歩いた。

なんとか春也に追いつこうと、顔を上げて懸命に足を動かす鳴海の横顔を、慎一はときおり見た。汗ばんだ額を、葉の影がするすると流れていき、少し速くなっている息の音が、そらした咽喉の内側から聞こえてきた。もし強い風が吹いたら、鳴海の背中も、以前見た春也の背中のように、歪《いびつ》にふくらむのだろうか。

ヒトリシズカのあいだを抜け、岩の前に三人でしゃがみ込む。生ぬるくなっていた水を汲み出して新しい海水を入れ、春也がヤドカリを一匹選んだ。

「あたし、鍵持ってきたよ」

鳴海が言うと、春也はちょっと驚いた顔をした。

鳴海がバッグから出した鍵は、慎一の家の鍵よりもずっと長く、たしかに火傷の心配はなさそうだ。頭の部分にはやはり四角い穴が空いていて、ヤドカリを載せるのにもちょうどいいように見えた。

岩の裏手に移動し、昨日と同じように三角形に向き合って座った。鍵に載せたヤドカリを、春也が下からあぶっているあいだ、鳴海は鍵をぴたりと空中に止め、息をつめて自分の手元を注視していた。その鳴海の横顔を、慎一は見ていた。やがて出てきたヤドカリを捕まえて粘土の台座に固定し、三人で手を合わせたときも、慎一は目を閉じた鳴海を見ていた。真剣な顔をしようとしているのだが、口許がほんの少し笑っていて、薄くて白い瞼がときおりぴくぴくと動いた。

(三)

翌日以降も、三人は放課後になると山へ登った。

相変わらず春也は慎一たちといっしょには学校を出ないで、ガドガドの裏で待っていたが、不機嫌のほうはだんだんと直っていった。山道を登るときも、もう一人で先へ行ったりせず、三人は縦に並んだり横に並んだりして、互いの呼吸を聞きながらあの岩を目指した。緩やかな場所では、三人はあれこれと他愛ないことを喋り合ったが、春也と鳴海が直接言葉のやりとりをすることはあまりなかった。

段差の上から鳴海を引っ張り上げるとき、つながった二人の手を見て、慎一はいつのまにか自分がずいぶんと陽に焼けていたことを知った。春也といっしょに放課後の時間を海辺やこの山で過ごしているあいだに、焼けたのだろう。

何日か経つうちに慎一は、鳴海が慎一の近くで急場を越えるときは腕を頼ってくるのに、春也の近くにいるときは、枝や岩肌で手を汚しながら一人で登っていることに気がついた。気がついてからは、もうすっかり位置を憶え込んだ急場が近づいてくると、鳴海のすぐ前へ動いてやった。そのうち鳴海は、急場の近くでうっかり慎一が後ろにいるとき、それとなくこちらを振り返るようになった。慎一は顔の前で掌を立て、彼女のそばまで急いだ。海水を入れたビニール袋はたいてい慎一と春也で運んだが、ときどきは鳴海も手伝った。ビニール袋を持つと鳴海は、ちょっと登っては袋を覗き込み、またちょっと登っては覗き込むので、先頭を行く春也とのあいだにずいぶん距離ができた。

三人は岩の裏でヤドカリを出したり、出さなかったりした。あるとき慎一が、春也と二人でイチゴを食べたという話をしたら、翌日鳴海が家からイチゴのパックを持ってきた。岩の前に座り込み、三人で食べたイチゴは、朝からずっとバッグに入れてあったのでずいぶん傷んではいたが、それでも前回のものとはまた違う美味しさだった。春也と食べたイチゴは知らない果物のように胸を高鳴らせたが、鳴海の持ってきたイチゴは、なんだかずっと昔に食べたことのある大好きだった果物のように思えた。三人で地面に捨てたヘタを見て、慎一と春也のやつは実がぜんぜん残っていないと鳴海は笑った。唇の奥に、イチゴのせいで赤くなった、つるつるした舌が見えた。

ヤドカリの殻を粘土に押しつけて貝のかたちの穴を開けることとは、鳴海が考えついた。貝の凹凸が、細かい部分まで鮮明に粘土に刻まれるのは驚きだった。平たくした粘土に、鳴海と慎一で穴をたくさん開けていたら、ちょうど教科書で見た月の表面のようになった。慎一と鳴海は蟻を何匹か捕まえ、そこに這わせた。春也はそんな遊びには興味がなかったのか、二人に背中を向けて岩の凹みをじっと覗き込んでいた。


ある日の放課後、二人でガドガドの裏に向かっていると鳴海が首をひねった。

「富永くんって、あたしのこと嫌いなのかな」

「何で?」

「あんまり喋ってくれないから」

「春也は、もともとそんなに喋らないよ」

「どうして富永くん、あたしのお父さんの仕事なんて気にしてたんだと思う?」

一瞬、何のことだかわからなかった。しかしすぐに慎一は、自分が鳴海の父親のことを訊くのに春也をダシに使ったことを思い出した。

「べつに、ただ気になっただけでしょ」

適当に答えると、鳴海の顔がすっとこちらを向いた。

「何で気になるのよ」

「それは……わからないけど」

ぼろが出てはいけないので、慎一はそれだけ言って前に向き直った。

しばらく、鳴海は喋らなかった。ところがガドガドが近づいてくると、こんどはやけに口数が多くなり、どうでもいい話をしてはくすくすと笑うのだった。いったいどうしたというのか、慎一は不思議だった。その日、山にいるあいだ鳴海は春也に一度も話しかけなかった。しかし岩の前で春也が、曲がってきた網戸の網を器用に直していたとき、その背中をずっと見ていた。

翌朝、教室で顔を合わせ、鳴海の髪型がいつもと違っているのに慎一は気がついた。八幡宮の舞殿の脇で見たときのように、前髪と耳の脇の髪だけを垂らし、あとは頭の上で二つの団子みたいにまとめられている。まとめた部分には硝子の飾りのついたゴムが一つずつ結ばれていた。休み時間、クラスメイトと喋りながら鳴海は、笑ったり驚いたりするたびにそこへ手をやって気にしていた。慎一はそっと春也を見た。春也の目は前髪に隠れてよく見えなかったが、鳴海のほうへ向けられている気がした。

放課後、凹みのヤドカリが残り少なくなってきていたので、春也と二人で新しいのを捕まえた。鳴海は岩場に座り、自分の頬を包むようにして、両手に顔を載せて待っていた。慎一は一匹でも多くヤドカリを見つけようとしたのだが、わざとやる気がなさそうに岩の上をぶらついてみたり、潮だまりを見るのに腰を屈めず、立ったままヤドカリを探していたせいで、春也よりも少ない数しか捕まえることができなかった。二人のヤドカリが合計十匹になったとき、春也がもう切り上げようと言ったので、慎一は声を出さずに頷いて、三匹のヤドカリを海水のビニール袋に放り込んだ。

「岩の飾り付けって、もうしないの？」

あの場所まで山を登り、春也と二人で凹みの水を替えていると、鳴海がそんなことを訊いてきた。

「前に春也とやったとき、すぐ駄目になっちゃったからね。セロハンテープとか糊とか、みんな剝がれちゃって」

「何か別のものでやればいいんじゃない？　前に利根くんから飾り付けの話聞いて、あたしもやってみたいと思ってたんだよね」

「別のもの……」

　慎一は考えた。雨や風で駄目にならないものは、何かあるだろうか。

「ビニールテープやったらええんちゃうの」

　春也が口にした意見に、すぐさま慎一は薄笑いを返した。

「ビニールテープでもいっしょだよ、雨で剝がれちゃうじゃん」

「いや、普通に貼るのやなくて」

　岩に貼りつけたあと、そこをライターであぶるのだと春也は言った。

「そしたらビニールが溶けて、しっかり岩にくっつくやろ。飾りも、色紙とかでやるのやなくて、ビニールテープでええやん。テープ同士がべたべたくっつかんように、飾りに使う部分はテープとテープを向かい合わせに貼りつけてリボンみたいにすんねん。裏と表で違う色にすることもできるし、それをいろいろ組み合わせたら、けっこう綺麗になるのやないかと思うけどな」

　春也の説明を反芻するように宙を見上げて頷いていた鳴海が、唇の隙間から息を洩らして春也を見た。髪についた硝子の飾りが揺れて、小さく音を立てた。

「それにしようよ。明日三人でビニールテープ持ってきてやろうよ」

「でも、そんなにたくさんビニールテープ持ってないでしょ、誰も」

慎一は自分がまだ薄笑いを浮かべていることを意識していた。その薄笑いがさっきより歪んでいることもわかっていた。顔の力を抜こうとしても、頬が勝手に持ち上がり、唇が厭な隙間を空けてしまう。

「俺、ある場所知っとんねん。図工室の、奥の棚にな、えらいぎょうさんビニールテープ仕舞ってあんねやんか。ほんま言うと、それ知っとったからビニールテープがええ言うたのやけどな」

「勝手に持ってきちゃうってこと?」

鳴海が不安げに春也を見る。

「平気やて。西郷どんが絶対におらへん時間、わかっとるし。見つかったときは見つかったときや」

その日はヤドカリをあぶり出さずに山を下りた。

ガドガドの前で別れるとき慎一は、「じゃあね」と手を上げた鳴海の目が、自分たち両方ではなく、春也のほうを見ている気がしてならなかった。

「今週の土曜日、また帰りが遅くなっちゃうの」

味噌汁の椀を座卓に置きながら純江が言った。

夜に家を空けるのは、昭三が入院してから初めてのことだ。もうそういうことはなくなったのかもしれないと、心のどこかで勝手に考えはじめていた慎一は、急に裏切られた気持ちで母を見た。

「また、食事会に誘われちゃってて。お祖父ちゃんもいないのに、ごめんね。でも、そんなに遅い時間にはならないから」

昂ぶりかけた感情をなんとか抑えようとしたが、努力の隙間から声が洩れた。

「どこ行くの」

「どこ……?」

持ち上げていた箸を、純江は中途半端な位置で止めた。

「いや、何食べるのかなと思って」

「ああ、それはまだわからないの。決まってないみたい」

答えてから純江は、自分の手元に目を戻して付け加えた。

「事務所の人たちと行くんだけど」

母の顔から視線を外し、慎一は無言で箸を動かした。

幼稚園でクレヨンを盗んだときのことが思い出された。ずっと前——通っていた東京の幼稚園で、家族の絵を描くという時間があった。配られた画用紙の前で、慎一がクレヨンの平たい箱を開けてみると、白だけ入っていなかった。そこだけぽっかりと空いていたのだ。うっかりどこかに置き忘れたのかもしれないし、もしかしたら誰かに盗られたのかもしれない。何気なく、隣に座っている友達のほうを見た。友達は夢中になって画用紙に顔を近づけながら、もう絵を描きはじめている。友達が尻の脇に置いていた箱から、慎一は白いクレヨンを取った。悪いことをしているという意識はなかった。ただ、自分の箱に入っていなくて、友達の箱に入っていたから、それをもらおうかというような気持ちだった。その白で慎一は、フライパンを持った純江の身体にエプロンを描いた。使い終えたクレヨンは自分の箱に仕舞った。しかし、メーカーが違うので、あとですぐにばれた。ばれた日の帰り、いつものように幼稚園まで慎一を迎えに来た純江に、もう名前も忘れてしまったが、慎一の組を担当していた女の先生が事情を説明した。笑いながらの説明だった。慎一は盗んだ相手に頭を下げて「ごめんなさい」と謝らされ、純江といっしょに先生にも頭を下げ、それから幼稚園を出た。帰り道で純江は、そんなことをして絵を描いてもらってもお母さんは嬉しくないと、慎一を叱った。

嬉しくない――。

え、と純江が慎一の顔を見た。

自分の唇が自然に動いてしまったことに、慎一は気づいた。

「日曜日は、祖父ちゃんのとこ行くの?」

思いついたことを言うと、純江の目に浮かんでいた不安の色が消えた。

「ああ……行くわよ。何か甘いものでも買っていってあげようかと思って」

ふたたび会話はやみ、つけっぱなしのテレビの音と、二人の箸の音だけがしばらく聞こえていた。

昭三が家にいなくなってから、純江は食事中にせわしなくお勝手と居間を往復しなくなった。食事が二人分になり、忙しさが減ったためだろうか。しかし卓上の皿を見るかぎり、それほど手間が変わったようには思えない。もしかしたらあれはわざとだったのかもしれないと、慎一は思った。わざと忙しそうにして、お勝手と居間を往復していたのかもしれない。

食べ終えた食器をお勝手に運んでいくと、窓枠に置かれたイルカの硝子細工が目に入った。綺麗に埃を拭っているらしく、つやつやと光っている。その隣には、いつからそこにあるのかわからない瓶ビールの蓋が、油と埃にまみれて転がっていた。

（四）

「端っこ同士をちょっと重ねるねん。そしたら太いテープができるやろ。それ同士を貼り合わせたら太いリボンになるやん」

「こう？」

「ちゃうて、先っぽを重ねたって意味ないやろ」

慎一が上手く呑み込めないでいると、春也が実際にやってみせてくれた。同じ長さに切った二色のビニールテープを縦に並べ、端同士を少しだけ貼り合わせる。それを二組つくって向かい合わせ、互いの粘着部分を貼り合わせたら、裏と表で合計四色が使われた、カラフルな太いリボンが出来上がった。

「富永くん、やっぱりすごいね」

鳴海が感心するのを無視して、春也は自分のスポーツバッグの中からさらにビニールテープを取り出した。赤、青、黄、白、黒、茶——全部で六色のビニールテープを、春也は図工室から持ち出してきていた。先ほどからそれを切っているハサミは、鳴海が家から持ってきたものだ。

「このやり方やったら、どんだけ太いテープでもつくれるやろ。色もぎょうさんあるし、何パターンでもできるで」

「でも春也、青とか黄色とかは、似合わないんじゃないかな」

「ああ、そやな、神様やもんな。色はシンプルなほうがええかもしれへん。ほんなら白と黒と……赤くらいでええか。その三色で、上手いことやろ」

春也の手際は驚くほどよかった。目分量で切ったビニールテープは見事に同じ長さだったし、それらを貼り合わせるときも皺一つなく上手にやってのけた。慎一と鳴海も手伝い、三人でビニールテープのリボンをたくさんつくった。鳴海もあまり器用なほうではなく、何度も失敗をしたが、それでもだんだんとこつを憶えて手つきがよくなっていった。一つのハサミを真ん中に置き、三人で使い回していたのだが、春也はハサミを手にしても、ほとんど慎一たちを待たせることなくまた所定の場所に戻した。鳴海も、春也や慎一の作業をよく見ていて、どちらもハサミを使わないタイミングを見計らって自分が使ったので、二人の手を止めさせることはなかった。慎一だけが、テープを切ろうとして粘着面を腕にくっつけてしまったり、あるいは地面につけてしまったりして手間取り、春也や鳴海を待たせた。しかしどちらも文句は言わなかった。ただ手持ち無沙汰そうに慎一を見ているだけだった。その視線を感じると、慎一の手元は余計に狂い、テープ同士がくっつき合って収拾がつかなくなったのは一度や二度ではなかった。

つくったリボンで岩を飾る段になると、一つ問題が生じた。ビニールテープを火であぶって岩にくっつけるはずだったのに、それが春也の予想ほど上手くいかなかったのだ。テープが溶けて岩に貼りつきはするのだが、接着力が弱く、ちょっと引っ張るだけで外れてしまう。しかしこの問題さえも春也は、岩につける部分のテープを三重にすることで易々と解決してしまった。厚くしてから溶かしてやると、テープは意外なほどしっかり岩にくっついた。

一度、春也がテープを熱しすぎ、支えていた左手の指に溶けたビニールがくっついて声を上げた。それを見て鳴海は自分のスポーツバッグから車の鍵を取り出した。

「これ使う?」

「なんて?」

「鍵でテープの端を押さえて、あぶればいいいんじゃないかと思って」

「ああ、そやな」

鳴海が手渡した車の鍵を使い、春也はさらにてきぱきと作業を進めていった。

胸に、だんだんと湿った砂が溜まっていく。その砂は、春也の手際に驚いてみせたり、鳴海の賞賛に同意するたびに嵩《かさ》を増していった。

「思ったよりええやん」

　夕陽を受けてオレンジがかった岩を、春也は満足そうに眺めた。岩は三色のリボンで綺麗に飾り付けられていた。以前に二人でつくったシュロ紐の注連縄だけは、そのまま残してある。

「けっこう遅くなっちゃったね」

　鳴海が背後の太陽を振り向いた。

「今日はもう帰ろうよ、暗くなるから」

「そやな」

　地面に散らばったテープの切れ端を、慎一と春也で拾った。鳴海は自分の持ってきたハサミをバッグに仕舞い、それからしばらく地面をきょろきょろと見回していたが、やがてその顔にふと困った表情が浮かんだ。

「ねえ、鍵、知らない？」

「さっき返さへんかったか？」

「もらったっけ」

　どちらも、同意を求めるように慎一のほうを向いた。慎一は黙って首を横に振った。

「ほんなら、とりあえず探そか」

「ごめんね」

　三人で背中をこごめ、地面を覗き込みながら岩のまわりを確認した。鳴海の鍵はどこにもない。それぞれ自分のポケットやバッグの中を見たり、さっき集めたゴミの中を掻き回してもみたが、やはり出てこなかった。そうしているうちに、太陽がさらに低くなり、地面の小石が尖ったぎざぎざの影を伸ばしはじめた。

「もういいよ、諦める」

夕焼けた空を、鳴海が不安げに振り向いた。

「そういうわけにいくかいな」

責任を感じているらしく、三人の中で春也が一番懸命に探していた。

「ぜったい岩のまわりにあるはずなんやから」

「でも、暗くなっちゃう。つぎ来たときに見つかるかもしれないし、もし見つからなくっても大丈夫だよ。ふだん使ってないスペアキーだから、きっとお父さんにもばれないし」

「あかんて」

振り向きざま春也は言ったが、すぐにまた地面に顔を戻した。

「でも、あれやで。二人は先に帰ってもええで。俺、一人で探すし」

地面を睨みつける横顔は真剣そのもので、両目には焦りが浮かんでいた。あちこちに生えているヒトリシズカの葉の下まで、春也は覗き込んだので、両手も両膝もすっかり土で汚くなっている。その様子を鳴海はしばらく黙って見ていたが、やがて耐えきれなくなったように春也の背中へ近づいていった。

「いいって、もう」

春也のTシャツの肩を、鳴海はつまんだ。

「ほんとにいいから」

春也は鳴海に顔を向けたが、ふてくされたように目をそらした。

「ほんなら明日、また探すわ」

鳴海は黙って頷いた。

「かんにんな」

風に、夜の匂いが混じりはじめていた。西の空はいよいよ赤らんで、岩は背景の木々とともに影絵に変わり、反対側を見ると、海の向こうには白い月がうっすらと浮かんでいる。

急いでいたせいもあり、山道を下りているあいだはほとんど誰も口を利かなかった。いつもよりずっと短い時間でガドガドの裏まで行き着いたとき、三人ともすっかり息が上がっていた。空が暗くなりかけていたので、はずんだ息のまま短く声を交わして三人は別れた。

家路をたどっていると、幼稚園で盗んだ白いクレヨンのことがまた思い出された。暗さを増していく行く手の道を睨みつけたまま、慎一はポケットに右手を差し入れた。

硬い金属が、指先に触れた。

（五）

「八……サード、原」

口をすぼめて首を突き出し、昭三は抜いた眉毛を数えていた。

「よく知ってるね」

「俺だって原くらい知ってる。守ってんなサードで、背番号は八。おとついもホームラン打ってただろ」

「ここ、テレビ見られるの？」

慎一は病室を見回した。三人の相部屋なのだが、ほかの二つのベッドはカーテンが閉まっていて見えない。ときおり、昭三よりももっと年寄りらしく思える人の力ない咳が、カーテンの向こうから聞こえてきた。

「お前が持ってきてくれたラジオでな、聞いてんだ。イヤホンで。たまにぴいぴいいうけど、二階だからよく入るぞ」

最初に見舞いに来たとき慎一が持ってきたラジオが、アンテナを伸ばされたまま、ベッドの脇にある小ぶりの冷蔵庫の上に置かれていた。冷蔵庫の側面には、ラジオといっしょに持ってきた昭三の杖が立てかけてある。

「祖父ちゃん、眉毛抜くの、昼にしたんだ」

「いや、朝もやってるぞ。でもお前がいると、やりたくなる。しかしこの、何ていうのか知らねえけど、これ」

と昭三は、ベッドの脇から自分の前に突き出ているテーブルを指先で叩いた。眉毛はその上に並べられている。

「白いから、今度は白髪が見えねえんだ。家じゃ黒いのが見えにくかったけどな」

骨張ったシャツの肩を揺らして、昭三は笑った。眉毛の脇には家から持ってきた湯呑みが置かれていて、半分ほどのお茶が入っていたが、湯気は出ていない。慎一はなんとなく、そのお茶の湯気が消えたのはずっと前なのではないかと思った。

土曜日の午後だった。学校から帰った慎一は、純江が朝のうちに用意してくれたおにぎりと塩鮭で昼ご飯を済ませてから、自転車で昭三の病院までやってきたのだ。

「あれか……鳴海ちゃんのことか？」

不意に、テーブルの眉毛を覗き込んだまま昭三が訊く。

「何が？」

「考えてることだよ、お前が」

ふっと息を吹いて、昭三は眉毛を散らした。布団の上にばらばらに落ちた眉毛は、やはり白いやつがよく見えなかった。

慎一が黙っていると、昭三はネットを被せられた頭をのろのろとさすって溜息をついた。

「俺もなあ……ここを出ねえことにゃ、鳴海ちゃんにきちんと謝ることもできねえよ。怪我したのがばれちまうからな」

考えていたのは、たしかに鳴海のことだった。しかしその内容は、昭三が思っているようなものではない。

「俺のせいで、お前まで悩ませちまって、このまんじゃ冥利が悪くてしょうがねえよ」

ポケットに押し込まれている鍵の硬さを、慎一は右足の付け根に感じていた。

はじめから、盗もうと思っていたわけではない。

岩の飾り付けが終了したとき、春也は細部の確認をしようとして、この鍵を凹みの縁に置いた。岩のまわりを一周してもとの場所に戻ってくると、満足げに飾り付けを眺めるだけで、自分が置いた鍵を鳴海に返そうとしない。置いたことを、すっかり忘れているようだった。自分が返してやろうと、慎一は鍵を手に取って鳴海を振り向いた。彼女は春也が器用に飾り付けした岩を、春也と同じ満足そうな顔で眺めていた。

自分一人、取り残された気がした。

この場所を春也といっしょに見つけたのは慎一だった。鳴海をこうして仲間に入れたのも慎一だ。どうして自分が取り残されてしまわなければならないのか、どうして二人が同じ顔をしていて、自分はそれを眺めていなければいけないのか、慎一は納得ができなかった。納得したくなかった。

気がつけば、鍵をポケットに入れていた。

二人を困らせたかったのかもしれない。それとも春也に、借りた鍵を失くすという失敗をさせたかったのかもしれない。

いまも、鍵はポケットに入っている。あれからずっと入っている。ズボンを穿き替えても、必ず慎一は右のポケットにこれを仕舞った。学校で鳴海に会ったとき、謝って返すつもりなのだろうか。それとも三人であの岩へ行ったとき、灌木の陰にでもそっと落としておくつもりなのだろうか。それを自分が見つけてやったことにすれば、鳴海を喜ばせることができる。そんなことも考えた。しかし、嘘がばれてしまうのが怖くてできなかった。

「早く家で飯食いてえもんだよ。お前とテレビ見ながらさ。まあ純江さんは、俺がいねえほうが楽かもしれねえけどな。……あ、いまのこれだぞ」

　昭三は人差し指を唇の前に立てた。

「言わないよ」

　二年生の頃——まだこの土地に暮らす前、夏休みに昭三の家へ遊びに来て、慎一は初めて海辺で釣りをした。餌にするオキアミの付け方を昭三に教わりながら、うっかり親指の腹に釣り針を刺してしまったとき、ひどく痛かったのを憶えている。先端が細くて鋭かったので、刺さったときはそれほどの痛みを感じなかったのだが、針にはかえしがついていて、抜くときに声を上げてしまうほど痛く、抜いてからも痛みはなかなか消えてくれなかった。

　いま慎一は、うっすらと、その釣り針の存在を感じていた。自分のどこかに刺さっている気がしてならなかった。

「……なんだ、帰んのか」

　椅子から腰を上げると、昭三が驚いた顔をした。

「友達と約束があるから」

　祖父の顔が見たくて、慎一はここへ来た。しかしいまは、また一人になりたかった。

「春也か？　こないだの」

「……そう」

「友達ってのは飽きねえんだよなあ、不思議と。大人んなると、二日も三日もつづけて会ったらすぐに厭んなっちまうけど、子供の頃の友達ってのはそうじゃねえ。ありゃ、いったい何が違うんだろうな」

　下唇を突き出し、昭三は眉根を寄せて首をひねった。

　慎一は何とも答えずにベッドを離れた。

「ああいう友達は、大事にしろよ」

「また来る」

　廊下に出ようとして慎一は、父の死の直前、病室へ見舞いに行った帰りのことを思い出した。あのときは父の死期が近いことなどまったく知らなかったが、ふと最後にベッドを振り返ったそのとき、窓の手前で半身を起こした父の影が、一本の萎《しお》れた茎のように見えて、はっとしたのを憶えている。

「こんど来るとき、何か要るものある？」

　漠然とした不安にかられて振り返ると、ベッドの上で、昭三はこちらを見ていなかった。聞こえなかったのかと思ってもう一回同じことを訊いたが、まったく反応しない。

「……祖父ちゃん？」

　ふざけているのだろうか。慎一はベッドのほうまで戻りかけたが、途中で昭三が急にこちらを向き、そこに慎一がいることにびっくりしたような顔をした。

「何やってんの？」

　立ち止まって訊くと、昭三はほんの数秒、じっと慎一の顔を見つめていたが、やがて苦笑しながら掌をひらひらと振った。

「考え事だよ、考え事。いいから早く帰れ」

さっきとうってかわって、本当に帰って欲しそうに言われたので、慎一はふたたび踵《きびす》を返して病室を出た。カーテン越しに、隣のベッドから細い咳が聞こえた。こっこっと、鶏でも鳴いているような咳だった。

階段を下りてロビーに出る。そこは広々とした場所で、出入り口の硝子ドアから、タイルの床に明るい陽が射し込んでいた。死んだときの父と同じくらいの年格好の男性が、松葉杖で歩きながら、隣に並んだ奥さんらしい人と喋っている。男性が小声で何か言い、奥さんはそれがよく聞こえなかったようで、頰を突き出すようにした。男性が言い直すと、彼女はのけぞるようにして笑い顔を天井へ向け、相手の肩をばちんと叩いた。硝子ドアの外が眩しい。この土地へ来て三度目の夏が近づいている。背後のどこからか、あれは子供だろうか、手拍子のようなスリッパの音が聞こえていた。受付の向こう側にはワイシャツ姿で眉毛の太い事務員がいて、その後ろから若い事務員が何か言いながら書類を差し出した。眉毛の事務員は振り返りもせず、肩越しにそれを受け取って、自分の前の平たい箱に放り込んだ。

みんな違う——唐突に、そんな思いが突き上げた。それは、これまではっきりと意識しないまでも、微熱のようにずっとまとわりついてきた思いだった。あの人もこの人も、自分とは違う。

硝子戸を出て、真っ白な陽射しの中を自転車置き場へ向かった。行くところなどない。会う友達などいないし、家に帰っても誰もいない。純江が朝のうちに用意していった、冷たい晩ご飯があるだけだ。事務員仲間との食事会。どうして大人が小学生に嘘をつくのか。どうして母親が息子に嘘をつくのか。

自転車に乗ろうとすると、サドルの上に小さな毛虫が這っていた。長細い身体を動かしながら、ひくひくと進んでいる。葉の濃い木の下がちょうど日陰になっていたので、そこへ停めたのが悪かったのだろう。慎一は唇をすぼめて息を吹きかけたが、毛虫はサドルにしがみついてそれをやり過ごした。もう一度やってみたが、やはり動かない。仕方なく、爪で弾いた。毛虫は地面に落ち、アンモナイトのようなかたちに素早く丸まった。

かっと腹の底が熱くなった。自分で意識するより先に身体が動き、慎一は丸まった毛虫を勢いよく踏みつぶしていた。くるぶしのあたりまで、骨がじんじんと痛んだ。スニーカーの裏をコンクリートにこすりつけ、慎一は自転車にまたがった。身体全体が心臓になって、ずくんずくんと鼓動している気がした。その鼓動に合わせ、目の前に広がる真昼の景色が明滅している。何も上手くいかない。何も思い通りにならない。自分ばかりが取り残される。景色は明るくて、ずっと向こうまで広がっているのに、慎一にはそれが自分とまったく無関係のものに思えてならなかった。こんなに厭なのに、こんなに息苦しいのに、顔色ひとつ変えてくれない人たちばかりが暮らしている世界。ペダルに足を載せてこぎ出すと、どこか身体の奥のほうに、強い痛みが走った。あの見えない釣り針だった。息をするごとに、同じ場所がずきずきと痛んだ。ハンドルを握り締め、慎一は歯を食いしばった。

——土曜日、また帰りが遅くなっちゃうの。

どのくらいの時間まで、母は帰ってこないつもりだろう。いつまで外にいるつもりだろう。何をするのだろう。帰ってきたら、また長いこと風呂の中にいるのだろうか。磨り硝子越しの白い影は、いつかのようにじっと動かないのだろうか。

海沿いの道に出た。家までは、まだかなりの距離がある。慎一はひたすら前を睨みつけて自転車をこいだ。しかし、あるときペダルを踏む両足が急に軽くなったかと思うと、尻の下でがりがりと厭な音がした。チェーンが外れたらしい。慎一は舌打ちをして自転車から飛び下りた。古いせいで、これまでもう何度もチェーンは外れているので、直すのにそれほど手間はかからない。油で黒くなった指先をズボンになすりつけ、慎一はまた自転車をこぎ出した。

長いこと走り、走り、走って、やがて左手にガドガドを過ぎた。家に帰るために曲がらなければならない角も通り過ぎた。それでもまだ真っ直ぐに走った。汗が、震えながら胸を伝っていく。全身に風が当たっているのに、顔は蒸しタオルで包まれたように息苦しい。四角いレストランまで行き着くと、慎一はその角を左へ折れた。

ビルが見えてくる。縦横に整然と並んだ窓が、太陽を跳ね返している。その下に広がる駐車場では、無数に停められた車のボンネットがぎらぎらと光り、目の奥が痛いほどだった。自転車を停め、慎一は尖った光の中を歩いた。ルーフキャリアのついた車がいくつか目に入る。そのたび、そちらへ近づいていく。しかし、どれもあのヴァンではなかった。鳴海の父親が乗っていた車はどこにもない。このあいだは、どこに停められていたのだったか。記憶をたどって駐車場の中を進んでいくと、それらしき場所に行き着いた。一台分だけ、ぽっかりと空いている。慎一は空いた駐車スペースの真ん中に立ち、顔を上に向けた。並んだ無数の窓。ビルの上には、空が透けるくらいの薄ぼやけた雲が浮いている。それだけしかない。ほかには何もない。春也と二人で山へ通っていたときは、空を見上げたらもっとたくさんのものが見えた。初めて鳴海を山へ連れていったときも、それからしばらくのあいだも、まだ見えていた。

不意に、車のエンジン音が聞こえた。

反射的に腰を屈め、慎一は頭を低くした。

エンジン音はだんだんと近づいてくる。駐車場の中を、どうやらこちらに向かってきているようだ。勝手に入り込んでいるのを見つかったら叱られるだろう。慎一は隣のセダンの陰にしゃがみ込んで全身を隠した。エンジン音は徐々に大きくなっていく。車はすぐそばまでやってきている。ギアを入れ替える音。ふたたびエンジン音。アクセルが何度かつづけざまにふかされて——急に静かになった。

ドアがひらかれ、靴裏がコンクリートを擦る音が聞こえ、ばたんとドアが閉められた。

そっと身を起こす。停められたのは、鳴海の父親のヴァンだった。すらりとしたワイシャツの背中が遠ざかっていくのが、ルーフキャリア越しに見えた。それがビルの玄関に消えるまで、慎一は目で追っていた。

ヴァンに向き直る。ウィンドウに鼻先をぎりぎりまで近づけて中を見る。たったいままで動いていたエンジンの熱が、車体の側面を這い上って生あたたかく顔を撫でた。

銀色のドアレバーに、右手で触れてみた。

レバーを引いても、ドアは動かない。苛立ちまぎれに、もっと強く引いたら、車全体が小さく揺れたが、それでおしまいだった。

そのとき慎一は気がついた。

いま自分はポケットに、この車のドアを開ける鍵を持っている。鳴海が家から持ってきた鍵。車のスペアキー。

右手がポケットへと伸び、指の腹に硬い金属の端が触れた。

それを抜き出してドアの鍵穴へ差し込んだとき、慎一は何か不気味な化け物の脇腹に刃物を突き立てるような錯覚におそわれた。鼻先に感じるエンジンの熱は体温のようで、差し込んだ鍵を回した瞬間、いまにもヴァンが大きな咆吼とともに身をよじってこちらに顔を振り向けるのではないかという気がして思わず呼吸を止めた。

ぼこ、という短い音がして、ウィンドウの向こうで長細いボタンのようなものが持ち上がった。

ふたたびドアレバーに触れてみた。軽く引くだけで、ドアはひらいた。

乗用車というものに、慎一はほとんど乗ったことがない。昭三は車に乗れないし、東京で暮らしていた頃も家に車はなかった。法事などで、両親といっしょにタクシーに乗ったことはあるが、こうして誰も座っていない運転席をこんなに間近で見るのは初めてだった。ウィンドウ越しに見たときとは、まったく印象が違う。慎一はドアの隙間から首を差し入れた。——芳香剤の匂い。それに混じって鼻へ届くのは、甘い缶コーヒーの匂い。ドアのすぐそば、エアコンの吹き出し口に取り付けられたドリンクホルダーに、前回見たときと同じ銘柄の缶が置かれている。飲み口の手前には、茶色い色をしたコーヒーが少しついていて、そこから立ちのぼってくる甘い匂いを嗅いでいると、鳴海の父親の体臭や息が、身体の中へどんどん入り込んでくるように思え、慎一はドアを閉じた。

鍵を抜いて反対側へ回り込み、助手席のドアを引いてみる。先ほど鍵を回したときに、こちらも解錠されていたらしく、抵抗なくひらいた。助手席のシートは運転席よりも少しだけ背もたれが起こされていて、直角に近い角度になっている。汗ばんだ手で、慎一はその背もたれに触れた。指の腹に吸い付くような、高級そうな肌触りだった。首を伸ばし、シートに鼻先を近づけてみる。二つの匂いが、同時に感じられた。一つは明らかに純江の髪の匂い。家の布団にも枕にも染み込んでいる匂い。もう一つは、もっと石けんに近い、洗ったばかりの洗濯物のような匂い。あの山へ登っていて、鳴海のすぐ後ろを歩いていると、ときおりこれが鼻先へ流れてくる。そのたび慎一は、高いところへ上ったときに似た、下腹が宙に浮いたような感覚をおぼえる。

シートの上に身体を滑り込ませ、そっとドアを閉じてみた。シートに座るのではなく、両膝を立て、背もたれと向き合うようにして、ヘッドレストを見つめる。その向こうには座席が一列あり、一番後ろは大きめのハッチになっていた。ヘッドレストに顔をつけると、純江の匂いと鳴海の匂いが、また胸の中に広がった。しかし今度は純江の匂いのほうがずっと強かった。何度、母はこの場所に座ったのだろう。何度ここに頭をつけたのだろう。今日もそうするに違いない。事務員たちとの食事会などと言って、本当はここに頭をつけるに違いない。鳴海の父親が何か面白いことを言い、母はそれに笑ったり大きく頷いたりしながら、鳴海が違う髪型をしてきたときのように、自分の髪が崩れるのを気にして、何度も頭に手をやるだろう。

助手席のドアを、慎一は内側からロックした。ついで運転席のほうへ身を乗り出して、同じようにロックをかけた。靴の汚れをシートにつけないよう注意し、いざりながら二つのシートのあいだを抜けていく。後部座席まで行き着くと、腹を引き摺り、両腕だけで背もたれを乗り越えて、ハッチに身を沈めた。ハッチには油で黒く汚れたタオルが何枚かと、工具入れと、何か長細い筒がぞんざいに置かれている。細長い筒からはチューブが飛び出ていて、どうやら持ち運びできる自転車の空気入れのようだった。汗が耳の脇を伝って顎の先から落ちていく。慎一は身体を丸めてハッチの床に横たわった。こうしていれば、外からは見えない。運転席からも助手席からも、自分の姿は見えない。しかしこっちは隙間から目を出して、二人がどんな話をするのか、何をするのか、すべて見ることができる。聞くことができる。

しかしすぐに、そんなことは無理だとわかった。

車内の温度が上昇しはじめたのだ。

熱いお湯の染み込んだ大きなスポンジを、無理やり顔に押し当てられているようだった。胸にも腹にも背中にも、シャツがぴったりと張りつき、その汗の中に自分も溶けてしまいそうに思えた。まだ暑くなる。どんどん暑くなっていく。息が苦しくて、空気を吸っても、吸っても、ぜんぜん足りない。どっどっどっどっと心臓が鳴っているのが自分の耳に聞こえた。狭いハッチが、秒を刻むごとにもっと狭くなっていくような気がする。もうこれ以上は危ないと慎一が判断するまで、それほど長くはかからなかった。だいいち、もし見つかったらどうするつもりなのだ。いや、きっと見つかるに決まっている。ばれないはずがない。

身を起こし、慎一は後部座席の背もたれを越えようとした。ドアを開けて外に顔を出し、胸一杯に空気を吸い込みたかった。しかしそのとき、ウィンドウの向こうから近づいてくるワイシャツ姿の人影が見えた。慎一は崩れ落ちるようにして、ふたたびハッチに身を潜めた。

ロックが外側から解除され、運転席のドアが開けられた。ふわりと風が入り込み、車内の空気と混ざり合う。運転席に大人の体重がかかり、車体が一瞬ぐらっと揺れた。直後、エンジンが回された。小刻みな振動が、下になった右半身から全身に伝わってくる。

エアコンの吹き出し口から空気が流れ出る音が、微かに聞こえてきた。しかし、それを喜んでいる余裕など慎一にはなかった。逃げられない。鳴海の父親が、たとえばハッチから何か取り出そうとしただけで見つかってしまう。あるいは外に出て、リアウィンドウから中を覗き込んだだけで、自分の姿は見えてしまう。

ギアを入れ替える音がして、車は発進した。

右へ曲がり、すぐにもう一度右へ――そして、がくんと車体がひと揺れした。駐車場を出たらしい。それからは、顔の上にあるリアウィンドウの向こうを、淡々と空が流れはじめた。

どこへ向かっているのか。ずいぶんと長いこと車は停まらなかった。いや、もしかしたらまだ駐車場を出てからほとんど時間など経っていないのかもしれない。動くものが空しか見えず、そのせいで時間の経過が慎一にはまったくわからなかった。

がたんと車体が揺れ、車が急に減速した。そのすぐあとにいったん停車し、ギアがバックに入れられた。少しだけ後退して、車は完全に停まった。サイドブレーキが引かれる音――そしてエンジンが切られた。ごそごそと、何か書類をいじる気配がして、鳴海の父親は車を出ていった。車が停まったのは、おそらくどこかの駐車場だった。

慎一は逃げようとした。ハッチから這い出てドアを開けようとした。しかし、もしその瞬間を見つかってしまったらという不安が手足を縛り付け、身を起こすことができなかった。仮に見つからずに逃げ出せたとしても、ここは自分がまったく知らない場所に違いない。一人では家に帰ることなどできない。横たわったまま膝を抱え、慎一はじっと身を固まらせた。

足音が近づいてきて、ドアが開けられた。

どさっと無造作にカバンを置く音がして、エンジンがかけられた。

リアウィンドウの上を、ふたたび空が流れはじめた。

鳴海の父親が、思っていたよりもずっと早く車に戻ってきたことで、慎一はその場からもう自分が逃げ出せないことを確信した。これから、もしかしたら鳴海の父親はまた車を出ていくかもしれない。しかし自分は絶対に逃げ出せない。身を起こすだけの勇気が持てない。それが慎一にはわかった。

何度か、同じことがあった。鳴海の父親はエンジンを止めて車を出ていき、そしてやはり、短時間で戻ってきた。慎一はひたすら同じ体勢のまま、息を殺しつづけた。タオルに染み込んだ油の臭いが、胸や、目の裏側を、だんだんと黒くしていくようだった。しかしそのタオルを顔の前からどけることさえ、慎一は恐ろしかった。何度目かに車が走りはじめたとき、身体の右半分にエンジンの振動を感じながら、気づけば慎一はゆっくりと瞼を閉じていた。タオルに染みた油の臭いで、頭がぼうっとする。眠気に似た感覚が、全身を包み込もうとしている。どこか深い場所へ、音もなく落ちていく気がする。

「………」

急に、純江の声がした。

はっとして目を開けると、リアウィンドウから見える空が赤い。慎一はハッチの床で身を強張らせた。

何と言ったのかはわからない。しかし、たしかにいまのは母の声だった。

ばたんとドアが閉められる。鳴海の父親が何か言い、純江がそれに言葉を返すのが聞こえた。二人の声はどちらも車の中にあるが、すぐ耳元から響いてくるエンジン音のせいで内容は聞き取れない。

ギアを入れ替える音。エンジン音が高くなり、車は走り出した。

空が流れはじめる。流れる速度は昼間よりもゆっくりしている。わざとそうして走っているのか、それとも道が混んでいるのだろうか。二人の会話《やりとり》はまったく聞き取れなかったが、それでも空が止まると、鳴海の父親の低い声、純江の声、二人の笑い声がきれぎれに耳に届いた。

純江の笑い声は、慎一がずいぶん長いこと聞いていない、明るいものだった。これは、いつも見せずにいる本当の純江なのだろうか。それとも、じつは鳴海の父親とはあまり打ち解けておらず、相手を気遣ってわざと楽しそうな声を出しているのか。慎一は母の顔を見たかった。見れば、いまそこにいるのが本当の母なのかどうかを見破る自信があった。しかし、目が合ってしまうのが怖くて、じっと膝を抱えたまま動けなかった。

どこかで車が停められ、ドアが片方だけ開閉された。出ていったのは、たぶん純江だった。五分ほどで戻ってくると、ビニール袋のがさがさいう音が聞こえてきた。何か買ってきたのだろうか。

車はまた走り出し、やがて空が暗くなってきた。どんどん暗くなり、残った明るさがほんの僅かになってきたそのとき、車は減速して、軽く砂利を鳴らすような音をさせながらどこかに停まった。

サイドブレーキが引かれる。しかし、エンジン音はまだつづいていた。エアコンを止めないためなのか、それともすぐにまた走り出すつもりなのか、わからない。

ここはどこなのだろう。屋外であることだけは確かだ。リアウィンドウの向こうに、やがて星がいくつか見えはじめた。ぼそぼそと、二人の会話が聞こえている。走っているときのような笑い声は、どちらの口からも洩れてこない。どんな話をしているのか。どうして笑うのをやめたのか。

会話は、だんだんと間遠になっていった。

そして、とうとう途切れた。

長いこと、二人とも声を発しなかった。しかし二人がまったく黙り込んだのではないことが慎一にはわかった。そこにあるのは完全な沈黙ではなく、見えない二人のあいだに、言葉ではないやりとりがあるのを強く感じていた。ただ顔を見合わせているのかもしれないし、何か同じものを見ながら、静かに頷き合ってでもいるのかもしれない。とにかく二人の気配はまだ、ばらばらになってはいなかった。一つのまま、すぐそこにあった。

何か、粘着質の音が聞こえた。

鳴海の父親の、微かな声。同じくらい微かな、純江の声。そしてふたたび静かになった。その静けさの中に、先ほどと同じような粘着質の音が、また聞こえた。

ハッチに横たわりながら、いま自分の身体の隅々まで広がっている感情が何なのか、慎一にはわからなかった。わからなかったが、自分の息で、体温で、すぐそこにあるリアウィンドウが白く濁っていくような気がした。

そのとき不意に、純江の声がはっきりと聞こえた。

「……駄目です」

怒っているのでも、咎めているのでもなく、その短い声はとても哀しそうだった。

しばらくの沈黙があり、やがて唐突にエンジンが止められた。

身体に伝わる細かな振動が消えていく瞬間、慎一は短い吐息を耳にした。たぶんそれは、純江のものではなかった。

そのまま無音がつづいていたが、やがて鳴海の父親が声に意図的な明るさを乗せて言った。

「歩きませんか」

八幡宮で行き合ったとき、鳴海に呼びかけたときのような声だった。

返事は聞こえない。ドアの一つがばたんと鳴り、少しの間を置いて、もう一つのドアが鳴った。

静寂がやってきた。海の深い場所へ潜ったときのように、鼓膜の奥で静けさが鳴り響いているのを意識しながら、慎一はゆっくりと身体を起こした。フロントガラスに目を移すと、その向こう側に、並んで歩く二人の姿があった。星の散った空が見え、遠くに街灯が見え、それ以外の場所は完全に真っ暗だ。一瞬、そこに巨大な穴が開いていると慎一は錯覚したが、よく見ればそれは海なのだった。

ゆるい足取りで、二人は遠ざかっていく。足元は砂浜らしい。白いブラウスを着た純江のシルエットが、あるとき砂に足をとられたように、隣を歩くシルエットのほうへぐらりと揺れた。二つの影はすぐそばまで近づき、それから先へ歩いていくときも離れなかった。

身をよじらせて、慎一は後部座席の背もたれを乗り越えた。長いこと床に当たっていた右肘と肩が、ずきずきと痛んだ。身体の右側だけ、シャツが汗で冷たく濡れている。ドアレバーを引いてドアを押してみたが、開かなかった。ロックを外してもう一度やってみたら、今度は開いた。海の匂いが顔を包む。真っ暗な景色の底で、ちらちらと白いものが踊り、波頭の砕ける音が聞こえてきた。

そこは海沿いの道だった。

しかし、どのあたりなのかはわからない。

静かにドアを閉め、車が向いているのとは逆の方向に、慎一は歩き出した。一度も振り返らなかった。腹の底で、えたいの知れない黒々としたものが渦を巻いていた。だんだんと視力が弱まっていくように、星も月も街灯も、歩けば歩くほど暗さを増していく。夜の向こうを睨みつけながら慎一は歩いた。飲み屋の電光看板が、ときおり道の反対側で光っていた。何個目かの看板の下に、オレンジ色の点線で、日付と時刻が交互に表示されていた。午後七時四〇分。まだそれほど遅い時間ではないことを慎一は知った。そして、今日が自分の誕生日であったことを思い出した。

第五章

（一）

「土曜日の夜、利根くんの家って何してた？」

休み時間に教室で鳴海に訊かれた。

「べつに、普通に家にいたけど？」

「みんなで？」

「そう、三人で」

慎一が嘘を答えたのは、昭三が入院していることを隠さなければならなかったのと、あの夜のことを思い出したくなかったからだ。

しかし、思い出したくないことを思い出さずにいられればどれだけ楽だろう。実際には、あれから慎一の胸の中では、狭いヴァンのハッチで膝を抱えながら聞いたすべての声と音が、傷のあるレコードのように、何度も何度も針を飛ばしながら繰り返されていた。道を歩いていても。食事をしていても。テレビを眺めていても。授業中も。

「そうなんだ」

鳴海の声には、どこか拍子抜けしたような響きがあった。

「何で?」

「べつに。休み前の夜とか、いつも何してるのかなと思って」

「何もしないよ。テレビ見たりしてるだけ」

戸口から別のクラスの女の子に呼びかけられ、鳴海は廊下へ出ていった。

土曜日の夜、慎一は長い時間歩いて鳴海の父親の会社までたどり着くと、置きっぱなしにしてあった自転車に乗り、誰もいない家に帰った。お勝手の鍋の中に味噌汁があり、冷蔵庫にラップをかけた焼き鮭とひじきの煮物が入っていた。その奥に硝子鉢が見えたので、引き寄せてみると、慎一が好きな缶詰の桃がシロップといっしょに入れられていた。慎一は戸棚からビニール袋を取り出し、そこに焼き鮭とひじきと桃を入れ、一杯分のご飯と味噌汁を入れ、口を縛って勝手口の外にある生ゴミ用のポリバケツに放り込んだ。晩ご飯など食べたくなかった。しかし、あとで純江に、どうして食べなかったのかと訊かれるのが厭だった。

居間に座り込み、純江を待った。なるべく普段どおりの自分に見えるよう、テレビをつけたが、画面に目は向けなかった。三十分経っても、一時間経っても純江は帰ってこなかった。壁の時計が十時を回ると、もしいま母が帰ってきたとしても、もういつもどおりの自分のふりをするのは無理だと思った。慎一は電気の消えた部屋に布団を敷き、逃げ込むように身体を潜り込ませた。しばらく目を閉じていたら、玄関で鍵の音がした。襖が静かにひらかれて、瞼の向こうに廊下の明かりを感じた。

——寝てるの?

慎一が返事をせずにいると、疑うような沈黙がしばらくつづいた。自分の息づかいや、靴下を穿いたままの足に、純江がじっと耳や目を向けているのがわかった。やがて純江の足音が近づいてきて、すぐそばに膝をついた。そのまま、しばらく動かなかった。

服が擦れる音が聞こえ、枕許に何かが置かれる気配があった。

入ってきたときと同じように、純江は静かに部屋を出ていった。

襖が閉じられた音を聞き、慎一はそっと目をひらいた。身体をねじって枕許に目をやると、そこには十センチ四方ほどの白い箱が置かれている。手に取ってみた。中でことりと何かが揺れた。口に貼ってあったセロハンテープを剝がし、慎一は蓋を開けた。

硝子細工だった。カーテンの隙間から射し込む微かな月明かりで、それがグローブとバットとボールであることがわかった。木製の台座の上に、精巧につくられたそれぞれのミニチュアが並んでいる。裏返すと、あのメーカー名が刻まれていて、その下に「To Shinichi」と彫りつけてあった。

箱が包装されていなかったことが、慎一の胸を冷たく抉《えぐ》った。これは、買ってきたものではない。おそらく鳴海の父親から受け取ったものだ。慎一が誕生日だということを話し、用意してもらったのだろうか。あるいは以前にそれを聞いていた鳴海の父親が勝手に持ってきて純江に渡したのか。いずれにしても慎一は、純江が断りもなく鳴海の父親を家に連れてきたような思いがして、暗い部屋の中で強く唇を結んだ。身体の表面がじわじわと熱くなり、反対に、胸の中心はどんどん冷たくなっていくようで、息をするのも苦しかった。病室の父が、グローブを二つ買うと約束してくれたことを、純江は知らない。あの約束をしたとき、母は何かの用事で病室を出ていた。それだけが、慎一にとって微かな救いだった。

硝子細工をそのまま箱に戻した。手の中に、何か熟れすぎた果物でも握ってしまったような厭な感じが残っていて、Tシャツの腹に右手をこすりつけた。硝子細工の箱は、いまでも畳の上の、純江が置いたのと同じ場所にある。夜が明けた日曜日の朝、向かい合って朝ご飯を食べながら純江はもの問いたげな目を向けてきたが、慎一は何も言わなかった。

食事が終わると、純江は冷蔵庫から箱を出してきた。箱の中身は、丸い小さなショートケーキだった。

——昨日、買ったの。もっと早く帰れるはずだったから。

——いいよ。

言葉を返すというよりも、母の言葉を断ち切りたくて慎一は答えた。純江の目がふっと弱いものになり、訊ね返すような瞬きがつづいた。

いつ、純江はケーキなんて買ったのだろう。家に帰ってきた十時近い時間に、開いているケーキ屋などあるのだろうか。純江を乗せて海辺へ行くあいだ、鳴海の父親の車は一度だけどこかで停まり、純江だけが出ていった。あのときに買ったのかもしれない。海辺で二人が出ていったあと、このケーキは助手席の上にでも、ぽつんと置かれていたのかもしれない。

——あとでいい。お腹いっぱいだし。

純江は目を伏せながら頷き、ケーキを冷蔵庫に戻した。

それから二人で家を出て、昭三の病院へ行くためバスに乗った。純江の靴の、黒いリボン飾りには、海の砂がついていた。

――ああいうの、好きじゃなかった？

バスの中で純江は訊いた。何を、と具体的には言わなかったが、畳に置かれた硝子細工のことだとわかった。慎一は無言で頷いた。本当は、そんなことはしたくなかった。それでも、悔しくて、悔しくて、母に何かむごい仕打ちがしたかった。そらした目の隅で、純江が残念そうに小さく頷き返したのがわかった。自分の行動が心を刺した。顎に力を入れ、窓の外を見るふりをして、慎一は病院に着くまでずっと涙を堪えていた。

どうして気づかないのだろう。用意した誕生日プレゼントがそのまま畳の上に置かれていて、ケーキも食べたくないと言われて、何故母は、それが自分のせいだと思わないのだろう。それとも本当は気づいているのだろうか。気づいていながら、何も言わないのだろうか。どうして自分に謝ろうとしないのだ。――慎一は何度も考えた。しかし、きまってそこでおしまいになる。いったい母が自分に何を謝るというのだ。母に、自分は何を謝らせたいというのだ。

鳴海が教室に戻ってきた。目が合ったが、彼女のほうからすぐにそらした。その仕草を見たとき慎一は、ふと先ほどの鳴海の言葉を思い出した。

――土曜日の夜、利根くんの家って何してた？

純江のことで頭がいっぱいだったので、その質問の奥にあるものにさっきは気づかなかったが、もしかすると鳴海は、本当はこう訊きたかったのではないか。土曜日の夜、純江は何をしていたのかと。家にいたのかと。

鳴海もまた、気づいているのだろうか。

先々週、慎一の家に来たいなどと急に言い出したのも、あるいはそこに一つの理由があったのかもしれない。鳴海は、純江に会ってみたかった。純江がどんな人なのか、どんな料理をつくるのか、どんな話し方をするのか、その目で確認してみたかった。

自分の考えが正しいのかどうか、しかし慎一には確かめる手段がない。

鳴海に訊くことなど、絶対にできない。


その日の昼休み、慎一はまた手紙を受け取った。以前と同じようなノートの切れ端が、同じように机に入れられていたが、書かれていた字はこれまでよりもずっと雑だった。毎日のように「鳴海と二人で遊びに行っている」ことを、手紙はからかっていた。そのあとに、慎一も知っているいやらしい言葉をいくつも使った、無意味な文章がつづいていた。

予想していたことだった。あの山へ行くとき、慎一は鳴海といっしょに学校を出て、春也とはガドガドの裏で待ち合わせている。鳴海と二人で歩く道のりが、これまで慎一は好きで、海が見えてくると、いつも残念な気持ちがした。とくに鳴海と春也が仲良くなりはじめてからは。

これからは一人で行こう——慎一はそう決めた。春也と三人で学校を出ればいいのではないかとも考えてみたが、きっとそれでも同じことだ。また同じような手紙を入れられるに違いない。

「……なに暗い顔しとん？」

五時間目が終わったとき、珍しく春也が慎一のそばに来た。

「べつに暗くないよ」

手紙のことを、慎一は言えなかった。言えないことが、手紙を受け取ったことと同じくらい、胸にこたえた。

「今日も山、行くやろ？」

「行くけど——」

鳴海といっしょに学校を出るのはやめたと、慎一は言おうとしたが、わざわざ言わなくてもガドガドの裏に集まったときにわかるだろう。そのまま口を閉じた。

「あの鍵、親父さんにはまだばれてないらしいで、持ち出したこと。まあスペアキーやから、もしばれても、そんなに怒られることはないと思うけどな」

いつ、二人はそんな話をしたのだろう。

「でも、ばれないほうがいいよ、やっぱり」

「そらそうやて。しっかし、ほんまあれは失敗やったわ。俺ぜんぜん思い出せへんねん、自分が持ってた鍵をどうしたんか。どっかに置いたんかなあ。そんで、うっかり蹴飛ばしたかどうかしたんかな。前にほら、あったやろ、そんなこと。俺、ヤドカリの殻を蹴ってもうたやん。あんときみたいに飛んでいったのかしらんな、鍵も」

早口でそこまで喋ってから、春也は目線を下げた。しかしその直後、すっと素早い仕草で慎一の目を見た。まるで何かを確認するように。

いや、気のせいだろうか。そんなふうに感じただけだろうか。

六時間目の授業が終わると、慎一は急いで教室を出た。廊下で一度振り返ったら、春也が出てくるのが見えた。しかし誰かに教室の中から呼び止められたらしく、何か言い返しながらまた中に入っていく。まとめて出てきたクラスメイトに紛れて、すぐに出入り口は見えなくなった。春也を呼び止めたのは鳴海だろうか。

ガドガドの裏で待っていると、先に現れたのは春也で、しばらくしてから鳴海がやってきた。

「利根くん、何で先に行っちゃったの？」

怒っているのではなく、単純に不思議がっているように見えた。慎一は曖昧に首を振り、「なんとなく」と答えた。

「あたしが好きなやつ買っちゃったよ」

言いながら、鳴海はスポーツバッグのファスナーを開ける。

「好きなやつって？」

鳴海が取り出したのはスナック菓子だった。平たい箱の表面に、チョコレートとクッキーでできた動物の絵が印刷してある。

「三人で食べようと思って、途中でお店に寄ってきたの。ポテトチップスとか、あんまりしょっぱいの好きじゃないから、チョコレートにしちゃったけど」

それで大丈夫だったか確認するように、鳴海は慎一と春也の顔を見た。

「甘いのも好きだよ。春也も嫌いじゃないよね」

春也は黙って頷くと、バッグの中から海水を入れるビニール袋を摑み出した。

「水、汲みに行こか」

いつものように慎一と春也は海水を汲んだが、新しいヤドカリは捕まえなかった。ヤドカリをあぶり出すことはだんだんと少なくなってきていたので、まだ凹みの中に何匹も残っている。


日暮れ前、家に帰って朝顔の暖簾を分けると、お勝手に純江の背中が見えた。流し台に向かってぼんやりと立っている。料理をしているのではない。背中が真っ直ぐに伸ばされていて、顔は窓に向けられているようだ。あのイルカの硝子細工を見ているのだろうか。振り返る純江の顔が、完全にこちらを向く前に暖簾を戻し、部屋に入ってスポーツバッグを投げ出した。あの白い箱は、まだ畳の上に置かれていた。

「今日、病院に呼ばれたの」

純江の声に振り返った。部屋の入り口に立つ母の顔を見た瞬間、これから自分が話すことに対する慎一の反応をひどく心配しているのがわかり、すっと下腹が緊張した。

「病院って、祖父ちゃんの病院？」

「お昼に事務所に電話があって、なるべく早く話したいことがあるからって。お母さん心配で、早引けさせてもらって、さっき行ってきたんだけど」

昭三が頭に受けた衝撃の影響を調べているうち、脳に血の塊《かたまり》が見つかったのだと純江は言った。

「塊……？」

「頭の、後ろのほうらしいの。お母さん、そういうことぜんぜんわからないから、なるべく簡単に説明してもらったんだけど――頭の中で血が出てて、それがだんだんとふくらんでいるんだって、先生が。頭を打ったこととは関係がないみたいなんだけど」

「そのままふくらんでいったら、どうなるの？」

そこまでは聞いてこなかったのか、それとも慎一に話すのがためらわれたのか、純江は短い間を置いてから小さく首を横に振った。もう一度訊き直すことに、言いようのない不安をおぼえ、慎一は別の質問をした。

「でもそんなの、大きくなる前になんとかしちゃえばいいんじゃないの？　大きくふくらむ前に」

「それが難しいらしいの。場所が頭の後ろだし、お祖父ちゃんの歳のこともあるからって、先生が」

先生が先生がと言う母に慎一は苛立ちをおぼえた。大人のくせに、どうしてこんなに頼りない言い方をするのだ。

向き合ったまま、二人はしばらく黙り込んだ。昭三のいない家の中は静かで、互いの呼吸が聞こえるほどだった。

「でも……たぶん、それほど心配いらないわ」

急に語調を変え、純江は頬を軽く持ち上げてみせる。

「もしものことがあったときのために、お医者様は何でもわざと大げさに説明するって聞いたことがあるから」

何も言えず、慎一はただ母に顔を向けていた。やがて純江は、晩ご飯の支度をするからと言ってお勝手に戻った。部屋を出ていくとき、母の頬はまだ不自然に持ち上がったままだった。

その夜慎一は、血の色をした蟹がハサミを無造作に持ち上げて、何か薄い、大事そうな膜を乱暴に突き破る夢を見た。

（二）

六月に入り、放課後の陽射しは白さを増して強まった。その日もかんかんとした晴天で、くっきりと濃い自分の影を見下ろしながら慎一は路地に足を速めていた。シャツが背中に張りついて、歩きながら頭に手をやると、髪の毛が熱い。

「利根くん」

背後で鳴海の声がした。聞こえないふりをするのは難しいくらい、大きな声だった。しかし、振り返ってみたら、思ったよりも彼女はまだ遠くにいて、ハンカチを片手につかつかと近づいてくる。

「何で一人で行っちゃうのよ?」

目の前で立ち止まり、睨むように慎一を見た。少し息が上がり、呼吸につれて、汗ばんだ咽喉の真ん中がへこんだ。

「何でってことはないけど」

それとなく周囲を窺ったが、クラスメイトの姿はない。

「誰かに、何か言われたんでしょ」

どうだというように、鳴海はちょっと顔をそらした。唇は横に結ばれ、まだ整わない呼吸が鼻から聞こえてきた。

「べつに、そういうわけじゃないよ」

慎一が前に向き直って歩き出すと、鳴海は横に並んだ。顔がこちらを向いているのがわかったが、慎一は気づいていないふりをして足を動かした。

「いいじゃんべつに、何言われても」

「言われてないって」

手紙でからかわれたのだと、本当は教えてやりたかった。いやらしい言葉がたくさん書いてあったのだと。しかし、それを鳴海に言ってしまったら負けのような気がした。何に負けるのか、誰に負けるのかはわからないが、とにかくそんな気がした。

「利根くん、このごろどうしたの？」

「どうもしてないけど」

「なんか変だよ。元気ないじゃん」

昭三のこと。純江と鳴海の父親のこと。そればかり、このところ慎一は考えている。本当は放課後の山などへも行きたくはなかった。しかし自分が行かないと、春也と鳴海が二人で行ってしまうかもしれない。

「べつに、元気だよ」

近々、昭三は横浜市にある大きな病院に移ることになった。

――そんな純江さん、いいよ病院変えたりしないで。

昭三自身はそう言って苦笑いした。

――でかいとこに移りゃ、それだけ金もかかんだろうからさ。

しかし純江は、医者の勧めるとおり転院するよう昭三に強く頼んだ。

――やっぱり新しい機械があるところのほうが安心ですから。

慎一も、なるべく大きな病院で、きちんとした検査や治療を受けて欲しかった。

――機械ったって純江さん、べつに頭ん中がどうこうしてるわけじゃねえんだから。

医者は、本人には頭の血のことを伝えていないらしい。

伝えないということがどういうことなのか、慎一はよく知っていた。父も、最後まで自分の病気が何なのか知らなかった。一年前のちょうどいま頃、蟹が皮膚の下を這い回り、身体のあちこちを食い破っていることを知らされないまま、父は目を閉じて、その目はもう二度とひらかれることはなかった。

「あたし、利根くんに謝らなきゃいけなかったんだよね」

急に、鳴海が言った。

「だから、追いかけてきたの。富永くんがいると言えないから」

声の最後が小さくなり、それとともに歩調もゆっくりになった。鳴海が自分に何を謝るというのか。考えてみたが、見当もつかなかった。慎一の家で晩ご飯を食べた日のことでは、まさかないだろう。あのときの話は、こうしていっしょに山へ行くようになってから、一度も出ていない。それがいまさら出てくるとは思えない。

うつむき加減に、鳴海は慎一の隣を黙って歩いている。そのうち二人は海沿いの道に出た。もう少し歩けばガドガドに着いてしまうというとき、鳴海は脇道に目を向けた。

「ちょっと、そのへん一周していい？」

開いているのだか閉まっているのだかわからない小さな釣具屋の横を抜け、慎一たちは細い路地へと入った。鳴海がようやく口をひらいたのは、角を左へ二回折れたときのことだった。

「あたしのお父さん、誰かと会ってるみたいなんだよね。女の人と」

聞こえていた自分たちの足音が、ふっと遠のいた。慎一は相槌も打てず、言葉も返せなかったが、鳴海は別段それをあやしむ素振りは見せずに言葉をつづけた。

「あたし、その相手の人がね、利根くんのお母さんだとばっかり思ってたの」

返事を待つような間があった。今度は黙っているわけにはいかないので、慎一はなるべく普通の声に聞こえるよう注意しながら「何で？」と訊き返した。

「少し前からお父さん、利根くんのお母さんの話、よくするようになったから。それ聞いてて、ああそうだったんだって思った」

思わず鳴海の顔を見た。彼女もこちらを見ていたので、真っ直ぐに目が合った。

「話って、どんな話?」

「そんな、大したことじゃないよ。朝から夕方まで仕事して、それから家事やって大変そうだとか、もともとこのへんの人じゃないから、魚とかの豆知識にいちいち驚いてくれて、それが面白いとか」

「何でうちのお母さんのこと知ってるの?」

訊かないほうが、ここはかえって不自然だろう。それに慎一はじつのところ、どうやって純江と鳴海の父親が知り合ったのか、前々から知りたかった。

「最初は、あたしのお母さんの法事のときに会ったんだって。利根くんのお祖父さんといっしょに来てくれてたみたい。あたしはぜんぜん知らなかったんだけど」

慎一は黙って頷いた。それは何度か想像したことのある答えだった。

「そのあと、仕事中にたまたま道で行き合うことが何回かあって、世間話するようになったんだって。あたしのお父さんほら、車でこのへんぐるぐる回ってるでしょ。——でも、それだけだったんだね。なんかもっと、あれかと思ってた」

「あれって?」

海沿いの道に戻ってしまったので、二人は少し進んで、また先ほどと同じ釣具屋の脇を入った。

「深い関係なのかと思ってた」

そうでなかったのが残念なような言い方を、鳴海はした。

慎一はひどく途惑った。鳴海は父親と純江の関係を疑っていて――しかしいまは、それを自分の思い過ごしだったと考えているらしい。いったいどういうことなのだろう。

慎一が考えているあいだ、鳴海は何も言わなかった。細い路地に互いの足音だけが響いた。

質問したいことはいくつもあったが、下手なことを口にしてはいけない。慎一は慎重に言葉を選んだ。

「何で、お父さんが女の人と会ってるってわかったの?」

先ほど鳴海は、父親が家で純江の話をしはじめる前から、誰か女の人と会っているのは知っていたというふうに言っていた。父親が話したのだろうか。父親というのは、娘とそういった話をするのだろうか。父親と娘の関係というものを、慎一はよく知らない。自分は純江の息子だし、純江は昭三の実の娘ではない。福島県にある純江の実家へも、もう何年も行っていない。

しかし鳴海が返してきたのは、びっくりするほど意外な答えだった。

「何でだろ、よくわからない。べつにこれっていう理由はなかったんだけど」

これといった理由もなく、どうして父親が女性と会っていることがわかるというのか。慎一には理解不能だった。言葉を返す前に、鳴海がつづけた。

「でも、この前の土曜日だけはわかったよ。ほら、あたし利根くんに訊いたでしょ、土曜日、利根くんの家は何してたって」

慎一が嘘を答えたときのことだ。

「あの日の夜だけはね、お父さん、確実に女の人と会ってたの。あたしにはそれがわかったの。

ね、何でだと思う？」

　鳴海は悪戯を仕掛けるような顔を向けてくる。わからないという言葉のかわりに首を振ると、それを期待していたかのように鳴海は唇の端を持ち上げた。

「口紅がついていたの。口にだよ、笑っちゃうでしょ。お父さん、あんまり鏡とか見ないから、自分で気づかなかったんだよね。お風呂から出てきたら消えてたけど、あれだってたぶん、気づいてわざわざ流したわけじゃないと思う。口紅がついてるのなんて、見ればすぐわかるんだから、相手の女の人が教えてあげればよかったのに」

　そこまで言ってから、鳴海は小首をかしげた。

「もしかしたら、わざと教えなかったのかな」

　その発想もまた、慎一には理解できなかった。

　あの夜のことを思い出し、内臓を握られているような圧迫を意識しながら慎一は言った。

「暗かったからでしょ」

「何が？」

「会ってた場所が」

　すると鳴海は驚いたように顔を向けた。

「鋭いね、利根くん。そうだ、きっと暗かったんだ。なるほどなるほど」

　その想像を楽しむように、鳴海は顎に手をやってふんふんと頷く。父親がそういったことをしている場面を想像して、何故平気でいられるのか。

朝、慎一と二人で使っている部屋で、純江が鏡台に向かって塗った口紅を、鳴海の父親が自分の家に持ち帰ったということに、慎一は言いようのない悔しさを感じた。いや、朝に塗ったものではないのかもしれない。仕事が終わってから、純江は鳴海の父親に会う前に、どこかでもう一度塗り直したのかもしれない。きちんとしたところへ行くときのように。

「その土曜日に、利根くんのお母さんが家にいたって聞いて、あたしちょっとがっかりしたんだ。いままでお父さんが会ってたのも、土曜日の夜に口紅つけたのも、利根くんのお母さんだとばっかり思ってたから」

「何でがっかりなの?」

「だって、すごくいい人でしょ、利根くんのお母さん。綺麗だし。お料理上手だし。この前ご飯食べさせてもらったとき、やっぱり行ってよかったって思った。会って喋れてよかったって。——ほんとのこと言うとね、あの日は利根くんのお祖父さんと話して仲良くなりたいっていうのと同じくらい、お母さんとも会ってみたかったの。見てみたかったの」

鳴海は左右の髪を耳に引っかけ、そのまま耳をすますような格好で手を止めて、自分の足先に目を落とした。

「それに、あたしが利根くんのお母さんとの関係を知ってるって、お父さんに気づかせてやりたかったんだよね。なんか、こそこそやられてるみたいで厭だったから。そんなのもあって、あたし利根くんの家に行ったの」

「なんで僕の家に来たら、お父さんに気づかせられるの?」

「だってほら、あとで二人が会ったとき、その話にならないわけないじゃん。利根くんのお母さん、ぜったいあたしが家に来たときの話するでしょ？　当然相手も知ってるものだと思って」

「ああ……するだろうね。もしほんとに会ったとしたら」

「そう、会ったとしたら。——そしたらお父さん、あたしが本当は女の子の家なんかじゃなくて、利根くんの家にご飯食べに行ってたってこと初めて知るじゃない。それで、あたしが二人の関係に気づいてたってことも知るでしょ？　まさか偶然だとは思わないだろうから」

そういうことか。慎一はようやく納得した。

「そんなふうに、いきなり驚かせるみたいにして、教えてやりたかったの」

少しだけ笑いの滲んだ声で言ってから、鳴海は空を見上げる。

「でも、あたしの勘違いだったんだね」

鳴海とは反対に、地面を睨んで歩きながら、慎一は考えていた。実際は、どうだったのだろう。純江は鳴海の父親に、鳴海が食事をしに来たことを話したのだろうか。そのあとどうなったかも、話したのだろうか。——黙っているはずがない。もしかしたら、慎一がハッチに横わっていた車の中で、その話をしたかもしれない。

「あたし、お父さんの相手が利根くんのお母さんだとばっかり思ってたから、あのあとずっと気にしてたんだ」

鳴海の声は、さっきまでよりもずっと気楽な調子に変わっていた。

「ほら、最後、あんなふうに出ていっちゃったでしょ？　だから、あたしのせいで二人の仲が変な感じになっちゃったらどうしようって。でも、利根くんのお母さんはぜんぜん関係なかったんだもんね。なんか、がっかりして、ほっとした」

また、海沿いの道に出た。積み荷のビール瓶を鳴らしながら、すぐ脇を軽トラックが追い越していく。そのエンジン音が遠ざかると、鳴海がふたたび口をひらいた。

「ねえ、もしお父さんが利根くんのお母さんと結婚したりしたら、あたしたち家族になってたんだよね」

笑いながらの言葉だった。しかしその言葉で慎一は、鳩尾《みぞおち》のあたりがすっと冷たくなった。鳴海のほうに顔を向けないようにするのは努力が必要だった。

「……そんな話してたの？」

咽喉の裏に引っ掛かりそうな声を、無理に押し出した。

「そんな話って？」

「その、うちのお母さんじゃなくても、いま会ってる女の人と結婚するとか、そういう話」

鳴海は平然とした声で「してたよ」と答えた。

「べつに具体的な話じゃないけどね。もしお父さんが誰かと再婚したらどうする、とか訊いてくるぐらい。でもお父さん、誰か具体的な相手のことを考えながら喋ってるのがわかった。うちのお父さんって、考えてることが何でも丸出しっていうか、隠そうとしても見え見えなんだよね、いつも」

けっきょく、同じ路地を三周した。三周目の途中からは、あまり会話がなくなり、鳴海は何を思っているのかわからない顔で慎一の隣を歩いていた。一度だけぼんやりと道の先を見やりながら、独り言のように呟いた。

「お父さんの相手、どんな人なんだろ」

慎一はその横顔を見つめながら、彼女が家に来たときのことを思い出していた。あのとき鳴海は、服を地味なものに着替えていたし、自転車にも乗ってこなかったが、あれはもしかして純江に気を遣ったのではないか。高級そうな服や自転車を、純江に見せたくなかったのではないか。

それまでずっと怨んでいた昭三と仲良くなりたいと思ったのも、そもそも父親と純江のためだったのかもしれない。あの日、家を駆け出ていった鳴海は橋の上で言っていた。

——お祖父さんのことだけはまだ許せなくて。

いまもそうなのかと訊くと、こんなふうに答えた。

——最近になって、少し変わってきた。

あれは、父親と純江の関係に気づいたからではなかったのか。慎一と同様、昭三とも家族になる可能性があると知り、自分の気持ちを変えようと思ったのではなかったのか。

「遅かったやん」

二人でガドガドの裏に入っていくと、ステップに座っていた春也が顔も上げずに言った。

「ごめん、待ったでしょ」

謝る慎一に返事もせず、春也はバッグからビニール袋を出して立ち上がった。ステップの前の地面には、二十センチくらいの木の枝が落ちていて、そばの地面に「ね」がたくさん書かれているのが見えた。

(三)

ガードレールを越えて岩場に近づくと、水面からの照り返しが肌にちくちくと刺さるように感じられた。今週のはじめあたりから、急にこんなふうになった。

「ねえ、変なヤドカリがいるよ」

春也と二人で潮だまりを覗き込みながら歩いていると、離れた場所から鳴海の声がした。靴を脱いで裸足になり、スカートの裾を持ち上げてこちらを見ている。このごろ鳴海はそうやって、二人がヤドカリを探しているあいだ、浅瀬を歩いて遊んでいることが多い。

「変なヤドカリだって」

慎一の言葉に春也は黙って頷き、シャツの袖が触れるほどすぐそばを横切って鳴海のほうへ行った。慎一も遅れてつづいた。

それは、まさに変なヤドカリだった。

鳴海の見つけた灰色のヤドカリは、もう一匹の、小さな白いヤドカリを抱えていた。相手の貝殻の口を右のハサミでつまむようにしながら、水底を歩いている。二つのヤドカリの大きさはずいぶん違っていて、抱えているというよりも、持ち歩いているといったほうが近かった。

「さっきから、ずっとこうやって歩いてるの。手を近づけてみたらね――」

見ていてくれというように、鳴海は膝を曲げて水中に手を伸ばした。指先が近づいてくると、大きなほうのヤドカリはさっと殻の中に引っ込んだが、小さなヤドカリを放そうとしない。ちょうど、小さいほうが大きいほうの殻の蓋をしているような恰好になった。

「でも、少ししたらまた出てくるの。それで、ずっとこの小さいやつを放さないの。何だと思う？」

「自分の子供なんじゃないの？」

慎一は思いついたことを言ってみた。

「やっぱりそうかな。あたしもそうなんじゃないかと思って」

「小さいから、一匹で歩かせると危ないでしょ。だからこうやって守ってやってるんだよ」

「じゃあ、これお母さん？」

「そうだと思う。――あ、出てきた。ほら、なんか手をつないで歩いてるようにも見えない？摑んでるの、手じゃないけど」

「こんなふうに子供を連れて歩いて、どうするのかな」

「だから、危ないところに行かないようにしてるんでしょ」

「ヤドカリって、一匹しか子供産まないの？」

そう訊かれ、慎一は言葉に詰まった。すると、まるでそのタイミングを待っていたかのように、それまで黙っていた春也が口をひらいた。

「雄と雌やで、それ」

二人の顔が自分のほうを向いたのを確認してからつづける。

「大きいのが雄で、小さいほうが雌や。こうやって連れて歩いて、あとで交尾すんねん。ヤドカリの親が子供の世話なんてするかいな」

最後の部分は明らかに慎一に対して言いながら、春也は腰を屈めてヤドカリをつまみ上げた。雄だという大きなヤドカリは殻に引っ込み、やはり小さな雌を摑んだまま放さない。雌のほうも殻に引っ込んで、また雄の殻の蓋をするような恰好になった。

「見とき、おもろいで」

春也は雌のヤドカリをつまんでゆっくりと引っ張った。雄のヤドカリはそれでもハサミで雌の殻を摑んでいたが、途中でもう駄目だと諦めたのか、とうとう雌を手放した。ばらばらになった大小二匹のヤドカリを、春也は水中に放り込む。三人で腰を屈め、しばらくなりゆきを見守った。やがてどちらのヤドカリも、そろりそろりと殻から身体を出してきた。雌のほうはあまり動かなかったが、雄のほうは何か慌てたように水底を這い回りはじめる。そのうち雌のヤドカリの近くへ行くと、やっと見つけたとばかりに這い寄って、先ほどと同じように相手の殻の口をハサミで摑んだ。そして、また持ち歩くのだった。

「これな、別の雌を近づけても絶対に摑まへんねん。同じ雌やないと駄目やねん」

「富永くん、詳しいね」

慎一は黙って水中のヤドカリに目を戻した。雌のヤドカリを持ったまま、雄のヤドカリは目的があるのだかないのだかわからない足取りで、うろうろと水底を這っている。あるとき急に方向転換して鳴海のほうへ近寄っていったので、鳴海は驚いて足を引いた。周囲の水がさっと濁り、その濁りが消えると、白い指のあいだに砂が少し残った。

「はじめるんちゃうかな」

春也が水面に顔を近づけた。

「何を？」

慎一が訊いても、春也は唇に人差し指を立てるだけで答えない。これからヤドカリが何をするのか知らないが――さっきの話からすると交尾なのかもしれないが、自分たちの声が水中のヤドカリに聞こえるはずもないことは慎一にもわかったし、春也もわかっていながらそんな仕草を返したのに違いなかった。

また、雄のヤドカリが鳴海の足のほうへ動いた。しかし今度は鳴海が足を引く前に、春也が「動かんとき」と短く言った。

鳴海は従った。

寄せ合った三人の顔の下で、やがて雄のヤドカリがぴたりと立ち止まった。雌の持ち方を変え、お互いが向き合うような恰好になると、空いているほうのハサミで雌の殻を軽く叩きはじめる。何度か、雄は同じ仕草を繰り返した。すると小さな殻の中から雌のヤドカリが身体を出した。二匹のヤドカリは、互いに相手の身体を探り合うように、もぞもぞと脚を動かしはじめた。息を詰めて、三人はその行為に見入った。慎一の顔は、いつのまにかヤドカリの真上に近づいていて、すぐ隣に鳴海の顔があった。耳を覆うように垂れた髪から、乾いた日向の匂いがする。視界の真ん中には、相手の身体を探り合う二匹のヤドカリがいて、視界の端には、濡れないように鳴海が手で少し持ち上げたスカートの裾がある。裾から覗いた膝は、まるでいま初めて空気に触れているように、白くてつるつるしている。鳴海の膝のすぐ下で、雌雄のヤドカリは長いこと互いの身体を探っていた。下腹が宙に浮いているような、妙な感覚を慎一はおぼえた。水の中のヤドカリを見るごとに、そのすぐそばにある白い足を意識するごとに、その感覚は強まっていき、そのうち腹から下が消えてなくなったような気さえしてきた。

「あ、離れた」

声を洩らしてから、鳴海は注意されるのを心配するように春也の顔を見た。春也は鳴海を安心させるつもりか、ぱんと手を叩き合わせて、いつもより大きな声を出した。

「交尾終了や。もうたぶん、雌の身体の中に卵あるで」

「赤ちゃんできるの？」

「当たり前やん」

「ねえ、じゃあさ、これあの凹みに連れて行かない？」

二人にではなく春也に、鳴海は訊いた。

「そしたら、あそこで赤ちゃん産まれるってことでしょ？」

「産まれると思うで」

「ヤドカリの赤ちゃんって、どんなの？」

「エビみたいなやつや。こんなちっちゃいねん」

春也は指先で二ミリくらいの大きさを示した。

「お母さんだけじゃ可哀想だから、こっちのお父さんも連れてこうよ」

鳴海の提案に同意し、その日は交尾をしていた二匹のヤドカリを山の上まで連れていった。水を替えたあと、新しい二匹が入った凹みを、鳴海はそばにしゃがみ込んでいつまでも眺めていた。

（四）

「祖父ちゃん、ぜんぜん平気そうに見えるよね」

病院からの帰り、横須賀線に揺られながら慎一は窓の外を眺めていた。昭三がとうとう純江の説得に応じて横浜の病院に移った週の、日曜日のことだった。

「先生は何て言ってたの？」

向かいの席に座った純江に顔を向けると、純江はその目をまぶしがるように瞬きながら視線を下げた。

「やっぱり、奥のほうで血がふくらんでるんだって。どのくらいのペースでふくらんでるのかは、もっとよく調べてみないとわからないみたいだけど」

「それじゃ前の病院といっしょじゃない。せっかくあんな遠くに移ったのに」

「何かあったときのためよ、大きなところに移ったのは」

わかってはいた。しかし慎一は、何でもいいから文句を言わずにはいられなかった。文句を言えば言うほど、何か本当はもっといい方法があるのではないかという気になれる。そして、その方法で昭三の状態が劇的によくなるのではないかという、根拠のない安心感を、ほんの少しだがおぼえることができる。

ひらきにして焼かれた鯵の、ぜいごの取り方が下手くそだったと、昭三は新しい病院の食事に文句を言っていた。

――べつに病院の人がおろしてるわけじゃないんでしょ、魚なんて。

慎一が言うと、余計に鼻の穴をふくらませてむきになった。

――でも、おかげでぜいごが歯ぐきに刺さっちまって、ほらこれ。

昭三が口に指を突っ込んで下唇をべろんと捲ってみせたとき、慎一は何か目の前に祖父の老いが剝き出しにされたような感じがして、全体的に黒ずんだ口のどこかにあるらしい傷を、探すこともできなかった。口の中に目は向けていたが、見ることはせず、昭三が唇から指を離してくれるのを待った。

鎌倉駅を過ぎてからも、慎一は窓の外を見ていた。まだ陽は残っているが、すでに明かりをつけている家もある。もう少しして紫陽花《あじさい》の季節になると、長谷寺に来る人たちで電車が混むから大変だと純江が言った。それに返事をしようとしたら、ちょうど窓の向こうに、ぽつんとあの山が見えた。

数日前、あそこで見た鳴海の踊りを思い出す。

放課後、いつものように凹みの水を替え、身体の中に卵を持っているらしい雌ヤドカリの様子を確認したり、ビニールテープの飾りを直したりしていたら、急に春也が言ったのだ。

——踊り、まだ習《なろ》うとるん？

そのとき鳴海は岩の前にしゃがみ込んで凹みを覗いていた。

——やってるよ。

水の中に目をやったまま、鳴海が訊き返すように語尾を上げると、春也はしばらく黙っていたが、やがて言った。

——見てみたいねんけど。

鳴海があんなに慌てた顔をしたのを、慎一は見たことがなかった。両目を大きくひらいて勢いよく顔を上げ、少し隙間を開けた唇の両端が、強張《こわば》ったように持ち上がっていた。

——なに言ってんの？

声は、半分笑っていた。

——だって、見せるために習うとるのやろ。

春也の態度はいつもと何も変わらなかった。顔だけ鳴海に向け、岩に貼ったビニールテープの捻れた部分を両手で直しながら、学校での出来事を話すときのように淡々と言葉をつづけた。

——いま、ちょっと見せてくれへん？

——やるわけないじゃん、そんなの。発表会のとき、みんなではやるけど、一人でなんてやらないよ。

——みんなでも一人でもいっしょちゃうの。

——ぜんぜん違うって。

そのときになると、鳴海の顔は少し怒っていた。しかしそれは、恥ずかしさを隠すためにわざと浮かべている表情だということが慎一にもわかった。単に恥ずかしがったり怒ったりするよりも、彼女がそんな顔をしたことが、慎一は厭だった。鳴海が春也に対して感情を隠したのが厭だった。

——ええやん、べつに。

——厭だって。

八幡宮で聞いた静御前の話を、慎一は思い出した。踊りたがらない静御前を頼朝が無理に舞殿で踊らせようとしたという、あの話。目の前の春也が急に、とても陰湿で傲慢な、自分のことしか考えていない人間に思え、慎一は鼻の奥が熱くなった。

——やらないって言ってるんだから、いいじゃん。

もっと攻撃的な声を出すつもりが、途中から弱いものになった。そのことに慎一は傷ついた。鳴海を見ると、相手もこちらを見ていた。彼女の目は、慎一が予想していた感謝の目ではなく、たとえば楽しみにしていたテレビ番組が、思っていたよりもつまらなかったときのような目だった。

——まあ、どっちでもええけど。

軽く頷いて春也は岩に向き直り、鳴海もまた凹みに顔を戻した。

春也のほうは、もう踊りの話など忘れてしまったかのようにビニールテープを直しつづけたが、鳴海は違った。唇に少し力がこもり、顔は凹みの水に向けられていながら、目はそこを見ていなかった。白い頬にほんのりと赤みがさし、何かをじっと考えているように、長いこと動かずにいた。

——なんか、鈴みたいなのある？

急に、顔を上げた。

——なんて？

——鈴。あたしが八幡宮で持ってたみたいな。

トウモロコシのようなかたちの鈴を、慎一は思い出した。

——ないとできひんの？

——あったほうがやりやすい。

そのときになってようやく慎一は、鳴海が春也に踊りを見せるつもりになっていることを知った。

——つくればええやん、そんなん。

岩を離れ、春也は踊るように幹をくねらせた木の根元から一本の枯れ枝を拾い上げると、ぽきぽきと手早く細かい枝を取り去っていった。

——家の鍵、持っとるやろ？

——持ってるけど……。

鳴海がバッグの中から鍵を取り出すと、ころん、とあの鈴が鳴った。

――それ、テープ貼ってもかまへん？

鳴海が頷くのを待って、春也は枝の先に鍵をビニールテープで留めた。枝の持ち手にふっと息を吹きかけ、そちらを相手に向けて差し出す。

受け取った枝を、鳴海は感触を確かめるように二、三度振った。そのたび、長谷寺の身代わり鈴が枝の先で透明な音を聞かせた。

――言っとくけど、下手だからね。

――ええて、そんなん。どうせ俺たちようわからんもん。

そして、鳴海は踊ってみせたのだ。

恥ずかしさのためか、手も足も、ずいぶん投げやりな動きだった。そのことに慎一は安堵し、胸の中にあった苦々しい敗北感のようなものが少しだけ薄まるのを感じた。しかし、十秒二十秒と経つうちに、鳴海の動きはだんだんと丁寧になり、手足の伸ばし方や縮め方も大きく滑らかになっていき、やがては慎一や春也がそこにいるのを忘れてしまったかのような真剣な顔つきで、鳴海は踊りに集中しはじめた。それは、あくまで小学生の踊りだった。難しいことなど何もわからない慎一が見ても、あの舞殿で踊っていた静御前とは比べものにならないほど稚拙な動きの連続だった。しかしそれだけに、鳴海というクラスメイトがいまここで踊っているのだという感覚が、彼女が手足を縮めたり伸ばしたり、顔をそっと横へ向けるごとに強まっていき、慎一は誰かに後ろから頭を強く摑まれたように、鳴海から目をそらすことができなくなっていた。彼女の動きに合わせ、ころん、ころんと長谷寺の鈴が鳴った。鳴海の足は、ときにつま先立ちになり、ときに靴裏を地面に引き摺ったりしたが、そこにたくさん生えているヒトリシズカを不思議と一度も踏まず、白い花をつけた草たちは、鳴海を守《も》り立てる小さな踊り手だった。どういう意味のある動作なのか知らないが、鈴のついた木の枝を肩に載せ、膝を曲げながら少し首をかしげたとき、鳴海の目が、確認するように春也に向けられた。目が合った春也は、一瞬目を伏せようとしたが、逆に顎を上げて鳴海と視線を重ねた。鳴海の身体が半回転し、顔がゆっくりと慎一のほうへ向けられたが、そのまま行き過ぎた。ころん、ころん、と鈴が鳴った。鳴海の足がヒトリシズカのあいだを縫うように動き、土の上で靴底が小さく音を立てた。

踊りが終わったとき、先に拍手をしたのは春也だった。

本当に、驚いた顔をしていた。

鳴海は昼寝から醒めたように、しばし春也に顔を向けていたが、さっと恥ずかしそうに身体を硬くし、それから相手に笑いかけた。前髪で隠れた額は軽く汗ばみ、耳たぶが熱《ほて》ってピンク色になっていた。

誰かの前で一人で踊ったのは初めてで、しかも同級生の前で踊ったことで自信がついたと、鳴海はその日の別れ際、春也に礼を言った。隣で慎一は、ブラックホールの水を捨てたときのように、自分の身体が空っぽになっていくのを感じていた。

あれから、鳴海と春也はいっそう仲良くなった気がする。

（五）

雨が降りつづき、しばらく山へは行けなかった。休み時間の教室で、雨の話題がクラスメイトたちのあいだで繰り返し出てくるようになった頃、走り梅雨という言葉を担任の吉川が角張った字で黒板に書き付けた。まだ梅雨前なのにこうして雨がつづくことを、そう呼ぶらしい。授業中、テレビの砂嵐のように途切れない雨音を聞きながら、慎一は横目で鳴海と春也を見た。それぞれ離れた席に座った二人は、何か小さなメモを交換し、声を抑えて笑い合っていた。

久しぶりに晴れたのは、ある火曜日のことだった。

一時間目が終わると、春也と鳴海がいっしょに慎一の机までやってきた。今日は山に登れる。凹みのヤドカリはどうなっているだろう。ひょっとすると死んでいるのではないか。山道はぬかるんでいて、靴がだいぶ汚れるかもしれない。二人が掛け合いのようにしてそんなことを言うあいだ、慎一は、もうすっかり顔に張りついてしまったつくり笑いを浮かべていた。頷くときも、言葉を返すときも、見えない手で頬の筋肉を摑まれているように、顔から笑いを消すことができなかった。

放課後は三人で学校を出た。誰が誰を待っていたのか、あとになって慎一は思い出そうとしたが、上手くいかなかった。教室の前の廊下で、慎一と春也と鳴海はいつのまにか並んで歩き出していた。慎一の胸は濁った思いで満たされ、顔の筋肉は見えない手に摑まれたままだった。

山で急場を越えるとき、もう鳴海は慎一の手を借りなかったし、振り返って慎一を待つこともなかった。いつからそうなったのかはわからない。汗ばんだ手を握って岩の上へ引き上げてやっていたのは、最初のほんの数日だったような気さえした。


「お、ちゃんと生きとるで。ずっと水替えせんかったのに」

最初に凹みを覗き込んだ春也が声を上げると、鳴海が駆け寄ってすぐ横にしゃがみ込んだ。凹みの縁に手をついて水の中を覗く。

「あのお母さんヤドカリは？」

「それも元気そうやわ、ほらそこ」

「どこ？」

「そ、こ。その隅」

慎一は二人の背後に立った。春也は水の中から、あの白い雌ヤドカリをつまみ上げて鳴海に見せた。ヤドカリは殻の中に潜り込んでいる。ということは、たしかに元気なのだろう。弱ったヤドカリが殻から身体をだらりと出すことは、もうよく知っている。

「雨水で海水が薄まっとるのを心配しとったのやけど——」

春也は水をちょっと舐めて、思ったよりもまだしょっぱいと言った。

「よかったな、母親ヤドカリが死なんで」

「赤ちゃん見たいもんね」

慎一は凹みに目を移した。春也が手を突っ込んだせいで、水は少し揺れている。水面が太陽を反射して、途切れ途切れに視界を白くした。凹みの底には何匹かのヤドカリが見える。歩いているものもいれば、じっと周囲の気配を窺っているものもいる。揺れて眩しい水の中に、何か小さな虫のようなものがいることに慎一は気づいた。凹みの中を、素早く泳いでいる。サッ、サッ、といった感じで、水中を真っ直ぐに進んでは方向転換し、また真っ直ぐに進んでは横へ泳ぐ。たくさんいる。黒い色をしているが、真っ黒ではなく半透明だった。目を細めてみると、どうやらみんなエビのようなかたちをしていることがわかった。そのときになって初めて慎一は、それが何なのか思い至った。

「生まれてる──」

思わず声が洩れた。

春也と鳴海の顔が、機械仕掛けのように同時に振り返り、素早い動きでまた凹みへ向けられた。

「ほんまや、生まれとる！」

言うが早いか、春也はすっと凹みに両手を差し入れて水をすくった。ほとんど波も立たないほどの滑らかな動きだった。顔を洗うときのように、両手に溜めた水の中で、二匹のヤドカリの子供がちょこまかと泳いでいる。大きさはほんの一ミリか二ミリほどで、大人のヤドカリのように身体が曲がっていたり丸まっていたりすることはなく、それでも頭の両脇にはちゃんとハサミらしきものがついている。

鳴海が春也の手の中を覗き込み、すぐに自分も凹みに両手を伸ばして水をすくった。一度目は失敗したが、二度目に上手くヤドカリの子供を一匹捕まえた。手の白さのせいで、春也の手の中にいるときよりもそれは黒く見えた。

「可愛いね。すごい可愛い」

鳴海が言うと、春也は鼻で笑った。

「こんなん、エビのちっちゃいやつやん」

鳴海は両手の水に顔を近づけた。

「これ、ここでちゃんと育つ？」

「大丈夫やと思うで。魚がおれへんから、かえって海より安全やろ」

「魚？」

「魚に食われへんやろ、ここなら」

嬉しそうに頷いて、鳴海は凹みの中にそっとヤドカリの子供を戻した。

しばらくヤドカリの子供たちを観察してから、春也と慎一で凹みの水を交換した。水を汲み出すとき、いっしょにヤドカリの子供をすくわないようにするのは大変だったが、春也はやはり上手くやった。以前にハゼをすくい出してしまったときのような失敗を、慎一は望んだのだが、それをやったのは慎一のほうだった。手の中の水を地面に捨てたあと、濡れた土の上で黒いものがもぞもぞと動いているのに気づいたとき、慎一はそれが春也や鳴海に見つかる前に何とかしようとした。指でつまもうとしたが、相手が小さすぎて上手くいかない。爪の先で挟んでみたら、理科の時間に顕微鏡のカバーガラスを割ってしまったときのような、何かごく薄いものが壊れる感触があった。それでも何食わぬ顔で右手を凹みの中に入れ、指をひらいた。動かない黒いものが、揺れる水の底にゆらゆらと落ちていった。鳴海が声のような、息のようなものを小さく洩らして慎一の顔を見た。慎一は凹みに目を向けたまま、頬を硬くし、自分では何も気づかなかったふりをしてまた水をすくいはじめた。やがて鳴海は目をそらしたが、慎一の顔のそちら側には焼けるような感覚が残った。水を汲み出す作業をつづけているあいだに、その感覚は徐々に顔全体に広がっていき、最後には身体の隅々まで広がって、全身に熱い痛みを意識しながら、慎一は凹みの水を汲み出しつづけた。

その日は久しぶりにヤドカリをあぶり出した。

はじめ、春也はあの雌ヤドカリを凹みから出したのだが、鳴海が反対した。

「赤ちゃんができたばっかりなのに、可哀想だよ」

春也は雌ヤドカリを鼻先に持ってきてしばらく眺めていたが、やがて、ぽとんと水の中へ戻した。

「お父さんも駄目だからね」

「わかっとるって」

黒くて大きな別のヤドカリを、春也はつまみ上げた。そのまま岩の後ろへ向かったので、慎一と鳴海もついていった。

慎一の鍵と春也のライターで、ヤドカリをあぶり出した。岩の裏の凹みに隠してあった粘土は、ずいぶん硬くなっていたが、台座をつくるのが難しいほどではなかった。あぶり出されて地面に落ちたヤドカリを、鳴海が捕まえて台座に固定した。

三人で目を閉じて手を合わせても、以前のような胸の高鳴りはなかった。いま目をひらいたら、春也と鳴海がこっそり笑い合っているのではないか。そんな気がしてならなかった。だからこそ慎一は目を開けなかった。しかし、開けることも開けないことも、同じだけ辛かった。春也が手をこすり合わせる音が聞こえ、一瞬遅れて鳴海のほうからも同じ音が聞こえてきた。そのあいだ慎一は、自分の感情で自分が生き埋めにされていくような息苦しさに耐えた。

目を閉じたまま、いつしか慎一は一心に願っていた。

蒔岡の不幸を願ったときよりもずっと強く、あることを心に念じた。

念じれば念じるほど、残酷な喜びが胸の底で炭酸のように騒いだ。知らない興奮に自分が囚われていくのを慎一は意識した。意識すればするほど、その興奮はいよいよはっきりとしたかたちを持って全身を包んでいくのだった。

（六）

翌日、春也が学校に来なかった。

「どうしたのかな、富永くん」

一時間目が終わった休み時間、鳴海が春也の席に目を向け言った。

「昨日帰るとき、富永くん、べつに具合悪そうじゃなかったよね」

「普通だったと思うよ」

担任の吉川からも何の説明もないまま、午前中の授業が終わった。給食を食べ終え、ぼんやりと昼休みを過ごし、五時間目がはじまる前にトイレへ行って教室に戻ろうとしたら、廊下の向こうから丸めた模造紙を持った吉川が歩いてくるのが見えた。隣に鳴海が並び、何か話している。教室の後ろの出入り口から鳴海だけが入っていき、吉川は教壇のある前の出入り口へとそのまま歩いていった。

教室に戻った慎一を見つけると、鳴海は足早に近づいてきた。

「先生も連絡取れないんだって。家に電話しても、誰も出ないみたい」

額が不安げに緊張していた。

「べつに、平気でしょ。明日になったら来るよ」

そう言葉を返した瞬間、鳴海の顔に何かが走った。しかし彼女はそれを隠すように素早く微笑んだ。

「そうだよね」

自分の席へ戻っていく鳴海の後ろ姿を、慎一はその場に立ったまま見送った。

放課後まで、とうとう春也は来なかった。

クラスメイトたちがばらばらと教室を出ていく中、慎一はバッグを持って鳴海の席に近づいていき、最後の授業のあいだずっと胸の内で繰り返していた言葉を口にした。

「春也いないけど、二人で山行く?」

しかし鳴海は小さく首を振った。

「今日は駄目なんだよね。踊りの練習があるの」

また、慎一の頬の筋肉を見えない手が摑んだ。

「土日だけじゃなかったっけ、踊りの練習って」

「そうだったんだけど……ほらこの前、富永くんに言われて山で踊ったでしょ。あれであたし、なんか自信ついたって言ったじゃない、同級生の前で一人で踊ったことで。だからお父さんと踊りの先生に頼んで、練習の回数を増やしてもらったの。たくさん練習すれば、発表会でもいまより難しい踊りやらせてもらえるかもしれないし。——これから平日、山には行けないことが多くなると思う」

用意していた説明のように、ひと息に喋ってから、鳴海はふと唇を閉じた。何か迷うような間を置いてから、ふたたび口をひらく。

「利根くん、凹みの水、替えに行く?」

「今日?」

ヤドカリの子供が心配なのだと鳴海は言った。

「赤ちゃんって大人より弱いから、水も綺麗にしといたほうがいいんじゃないかと思って。せっかくちゃんと生まれたんだし、うまく育って欲しいでしょ。だから、できれば」

「一日くらい平気だと思うよ」

「そうかもしれないけど……どうなんだろ。ヤドカリの赤ちゃんのことなんて、ぜんぜんわかんないもんね。富永くんに訊いとけばよかった」

咽喉元まで迫り上がってきた感情を、石のように呑み下し、慎一は言葉を返した。

「じゃあ、行ってくるよ」

鳴海の目がぱっと嬉しそうに広がった。

「僕もやっぱり心配だし」

鳴海といっしょに校門を出て、少し歩いたところで別れた。慎一は足元のアスファルトを睨みつけながらガドガドへ向かったが、けっきょく店の前を素通りし、誰もいない家へと帰った。水はちゃんと替えておいたと、明日鳴海に言うつもりだった。

それにしても、春也はどうしたのだろう。昨日の別れ際は別段体調が悪そうではなかったが、あれから急に風邪でも引いたのだろうか。もしそうならば、偶然とはいえ自分が昨日ヤドカミ様にかけた願いが見事に叶ったことになる。明日も休んでくれないだろうか。このまま何か重い病気にかかってくれないだろうか。そんなことを、何の物音もしない部屋に座り込んだまま、慎一は長いこと考えた。

（七）

「轢《ひ》かれてん、車に」

背後からいきなり言われたのは、翌日の朝、教室に入った直後のことだった。驚いて振り返ると、すぐそばに春也が立っていた。二人の顔のあいだはほんの三十センチほどしかなく、しかしそんなに近い距離にもかかわらず、春也は慎一を見ていなかった。

「腕、折れてもうた」

春也の目が、すっと下に動いた。あまりに近くに立たれていたので、その視線の先を追うには相手から身を引かなければならなかった。

「それ……」

白い布で、左腕が吊られている。薄い布なので向こう側が透けて見え、肘から手首までがぐるぐると包帯で巻かれているのがわかった。包帯の内側にはギプスが嵌められ、そのギプスのかすらしき白いものがついた掌と、黒っぽく汚れた指先だけが、包帯の端から覗いている。肌が乾いて、爪にも色がなく、つくりものの手のように見えた。

「おとといの帰り、一人で歩いとったらな、後ろから車が走ってきてん。俺ぜんぜんそれに気づいてなかってんか」

独り言のように淡々と説明するあいだ、春也はただの一度も慎一の顔を見なかった。表情のまったくない、がらんどうのような二つの目は、ずっと慎一の胸のあたりに向けられていた。

「道の向こうの浜でな、大人が何人か釣りしとるのが見えてたのやけどな、なんかえらいでっかい魚が釣れたみたいで、声が上がってん。おお、とか、そんなふうな声が上がってん。俺、どんなやつが釣れたんか気になって、見たろう思てな、そんで道を渡ろうとしたら、すぐ近くでクラクションが聞こえてん。ブレーキの音といっしょに」

そこまで話すと、春也は首から吊られた左腕を、右手でゆっくりと撫でた。

「ほんま、腕だけですんでよかったわ」

目を合わせないまま、そのとき春也が見せた笑いは、恐怖の感情とともに慎一の胸に深く刻み込まれ、いつまでも消えなかった。薄い唇の両端が吊り上がり、唇の奥から前歯が少し覗き、両目は何もないところをじっと見据えたまま、まるで眼球の皮が剝けたみたいに、上の瞼がべろんと持ち上がった。

「よかったやんな……願いが叶って」

真っ黒な穴の上に、立っている気がした。身体の下にあるのは積み重ねられたビールケースのように不安定な足場で、いま自分が下手に動いたら、その瞬間、一気に全身が穴に呑み込まれてしまうことを慎一は確信した。——左腕を撫でていた右手を、春也がすっと下ろす。それだけの動きで慎一は上体を強張らせ、その強張りが両足に伝わって、いっそう足場が不安定に揺れるのを感じた。左右の耳から冷水が流し込まれたように、頭の中が冷たくなった。舌が凍りついたように言葉が出ない。吸い込んだ息を吐き出すこともできない。顎が震えそうになり、慎一は反射的に歯を食いしばったが、顔にも顎にも感覚がなく、本当に食いしばっているのかどうかわからなかった。

「まあ、そういうことやから、俺しばらくは山は行かへんわ。腕がこんなんやしな、登れ言われても無理や」

唇の両端だけに笑いを残したまま、春也は自分の左腕をしげしげと見下ろした。春也がそうしていた時間は、実際にはほんの何秒かだったのかもしれないが、慎一には何十秒にも感じられ、その長い時間慎一は、ちょっとでも動いてしまわないように、必死に身体に力を込めていた。

ふと、春也の顔から表情が消えた。水で流されたように、本当に消えた。そして、感情をまったく読み取ることができないその顔で、春也は初めて慎一を真っ直ぐに見た。

「俺の手ぇなんて引っ張るの、厭やろ？」

もし、そのとき鳴海が教室に入ってこなかったら。もしもう僅かのあいだでも、あのまま春也と目を合わせていたら。——自分は見えないどこかが壊れてしまっていたのではないか。あとになって慎一はそう思った。

「どうしたのそれ」

机のあいだを縫いながら、鳴海はバッグを持ったまま最短距離でこちらに近づいてくる。春也は一瞬だけ彼女のほうを見たが、すぐに目をそらして言った。

「慎一に訊いたほうが早いと思うで」

真っ白な教室を背景に、能面のように表情のない春也と、心配そうに両目を瞠《みは》っている鳴海だけがいた。ほかには何も見えなかった。

「怪我したの？　それ骨折？」

鳴海の言葉を無視して、春也は無言で教室を出ていこうとしていた。

「ねえ富永くん」

「しょんべんしたいねん」

春也が廊下へ消えると、鳴海は慎一に向き直って訊いた。

「何あの腕、どうしたの？」

条件反射のように、慎一の両頰はまた持ち上がっていた。それを一度も下げることなく、慎一は春也が話した交通事故の説明をそっくりそのまま繰り返した。そうする以外に何ができただろう。話を聞く鳴海は、目にも、顔にも、ときおりの瞬きにさえも心配そうな色をいっぱいに浮かべていた。

「ほんと、腕だけでよかったよね……」

春也が出ていった教室の出入り口を振り返り、吐息といっしょに呟く。

「怖いね、車って。お父さんにも言っとかないと」

周りも見ずに道を渡ろうとした春也が悪い。ぼんやりしていたのが悪い。鳴海のことを考えていたのかもしれない。今度はどうやって慎一に勝ってやろうか、考えていたのかもしれない。

——春也が目の前からいなくなって、ほんの少し恐怖が薄れた胸に、そんな思いがドライアイスの煙のように広がっていた。広がっていくほどに、恐怖がもっと薄れてくれる気がして、鳴海と向き合ったままいつしか慎一は、なかば無理やり春也に対する怨みや怒りを意識していた。しかし、それを絶対に表に出してはいけないこともわかっている。昨日、学校を休んだ春也をあまり心配していない素振りを見せたとき、鳴海の顔に一瞬走ったものを、慎一ははっきりと憶えていた。

「腕があれだから、しばらく山は行けないって」

「そのほうがいいよ、治るまでじっとしてたほうが」

ヤドカリの子供のことを鳴海が言うかもしれないと思ったが、少し待っても言わなかったので慎一が口をひらいた。

「凹みの水替え、これからどうしようか。春也は骨折してるし」

「あたしは踊りの練習があるしね。べつに毎日じゃないけど」

なんとなく互いに口を閉じたが、ややあって鳴海がちらりと慎一の目を覗き込むようにして言った。

「とりあえず、今日は二人で行かない？　今日ならあたしも練習ないし」

慎一が黙ったまま頷くと、鳴海は小さく笑い返して自分の席へ向かった。それと同時に春也が教室へ戻ってきたが、すぐ後ろから吉川が入ってきて、そのまま授業がはじまった。

授業が進むにつれ、慎一の胸の中は筆バケツの水のように色を変えていった。はじめは透明だったのが、だんだんと明るい青に染められていき、それは鳴海と汗をかきながら見上げる空の色だった。青は少しずつ、少しずつ別の色を取り込みはじめ、葉の緑や、土の茶色や、膝の白や、太陽の黄色や、最後には眩しいくらいに鮮やかな橙色へと変わっていった。その鮮やかな橙色の中を、自分と鳴海が声を響かせ合いながら歩いているところを想像して、慎一の胸は指先で叩かれているように小刻みに鳴った。

全ての色が掻き消えたのは、何気なく春也の席に目をやったときのことだ。

べつに春也が何をしていたというわけではない。椅子に座り、左腕を白い布で首から吊り下げ、右手は机の上に載せてじっとしていただけだ。ただ、そのとき教室の後ろのほうで蒔岡の声が聞こえた。吉川に注意されるほどではなく、内容を聞き取れるほどでもない声だった。誰に喋りかけたのかもわからない。――とにかく、事故で腕を折った春也の姿と、蒔岡の声。その二つが重なったことで、慎一は突然にして、ある可能性に思い至ったのだ。

――よかったやんな……願いが叶って。

自分の心を春也に読まれていたのは仕方がない。上手く感情を隠せていたとはとても思えない。春也が口にしたあの一言は、そんな慎一の気持ちに対する仕返しだった。そう思っていた、ついさっきまで。しかし、本当にそうだったのだろうか。本当に春也の仕返しは、あの言葉だけだったのだろうか。

蒔岡にやったのと同じことを、春也は自分に対してやったのではないのか。

慎一の願いを叶えるために、わざと春也は車の前に飛び出したのではないか。そうすることが、慎一への何よりの仕返しになると考えて。

長くて冷たい針が、音もなく背中に突き刺さっていった。針はそのまま首の中心を貫いて一気に頭の奥まで達し、慎一は呼吸を止めて四肢を強張らせた。シャープペンシルを持つ右手と、教科書の上に置いた左手に、じわりと汗が滲んだ。そうだ――偶然にしては、できすぎていたのだ。どうして気づかなかったのだろう。慎一が春也の不幸を願ったすぐ後に、たまたま春也が交通事故に遭うなんて、あまりにできすぎている。もちろん可能性はゼロではない。しかし、春也が自ら車の前に飛び出した可能性に比べると、ずっと低い。

その日、慎一は二度と春也のほうを見ることができなかった。休み時間に春也と鳴海が話す声を聞いたときさえ、目を向けられなかった。

最後の授業が終わり、春也の姿は教室から消えた。

「富永くん、これから病院だって」

鳴海がバッグを持って慎一の席へ来た。

「ねえ、山に行く前にスーパー寄っていい？　お菓子買いたいんだけど」

春也の残酷な仕返しは、成功したことになる。

春也を怨んだことや、春也の不幸を願ったことに、慎一はいま息をするのも苦しいほどの後悔をおぼえていた。そして春也という存在が、どんな人間よりも、どんな動物よりも、どんな出来事よりも怖かった。

鳴海といっしょにスーパーへ行き、クッキーを買って山へ登った。凹みの水を替え、岩の前に座って半分ずつクッキーを食べた。そのあいだ、自分がどういうふうに喋り、どういう表情をしていたのか、あとで慎一はまったく思い出せなかった。クッキーの味も、それを本当に食べたのかどうかもわからない。ただ、背中を焼かれるような焦りを終始自分が感じていたことと、鳴海の口数がいつもよりずっと多かったことだけは憶えている。鳴海の口数が多かったのは、楽しかったからではは、きっとない。慎一と二人でいるのが気詰まりだったのだろう。

「明日は踊りの練習があるから」

夕暮れ前の別れ際、鳴海はそう言っていたが、あれは嘘かもしれない。

その日はヤドカリをあぶり出しはしなかったが、もしそれをやっていたら、手を合わせて目を閉じたとき、鳴海は絶対に春也のことを祈っただろう。早く腕がよくなって、またいっしょに山へ登れるようになることを願っただろう。

家に帰ると、晩ご飯の支度ができかかっていた。

「明後日の土曜日、また遅くなっちゃうのよ」

座卓を大ざっぱに拭いながら純江が言った。

「こんども、食事会？」

「そういうわけじゃないんだけど、ちょっと人と会うの」

純江は自分の手元ばかりを見ながら答えた。

同じ嘘ばかりではよくないと思ったのだろうか。それとも、これで正直に言ったつもりでいるのか。純江は布巾を座卓の端にたたみ直し、脇に置かれたポットを振って中身をたしかめた。それを持ってお勝手に行きかけ、そのときになってようやく慎一を振り向いて言った。

「ごめんね、慎ちゃん。なるべく早く帰ってくるから」

「いいよ、べつに」

テレビをつけ、画面にぼんやりと目を向けた。

何かがじりじりと自分を包囲していくのを、慎一は感じた。

（八）

翌日の金曜日は、時間の流れがおかしなことになっていた。授業がはじまったと思ったらすぐにチャイムが鳴り、トイレに行って戻ってきただけで休み時間が終わり、つぎは四時間目だと思っていたら給食当番がかっぽう着をつけはじめた。春也とは一度も目を合わせず、鳴海とは最後の授業が終わったときに短い会話を交わしただけだった。

「じゃあ、帰りに行ってくるね」

「ごめんね、一人で。ヤドカリの赤ちゃん、どんなだったか明日教えて」

鳴海に背中を向けて教室を出てからも、気づけばもう、一人で海沿いの道を歩いていた。そのあいだ、何かに取り囲まれていくという感覚だけが、ずっとつづいていた。

持ってきたビニール袋を手に、ガードレールを越えて浜に下りた。歩いているような、浮かんでいるような奇妙な心持ちで岩場を進み、潮だまりで海水を汲んだ。水面の少し下で、ピンク色のイソギンチャクが、水の動きに合わせて触手を揺らしている。慎一はそばに転がっていた尖った石を拾うと、角の部分をイソギンチャクに押し当てて横へ動かした。何度もそうしているうちに、イソギンチャクはばらばらになり、ピンク色のかすを散らしながら水底へ沈んでいった。

顔を上げると、生ぬるい風が頰と額を撫でた。水平線の近くに漁船が一隻浮かんでいる。止まっているように見えるが、しばらく眺めていると、ゆっくり右へ向かって移動していることがわかった。

何故だろう。いろいろなことが、なんだかずっと昔の出来事に思えた。放課後に春也と二人でここへ来てブラックホールを覗いたり、ガドガドの裏でビールケースに埋もれて大笑いしていたことが。建長寺の裏山に春也と二人で登ったり、八幡宮の人混みの中で静の舞を見たときのことが。

立ち上がってスニーカーと靴下を脱ぎ、ズボンの裾を捲った。あれはどこにあっただろう。最後に沈めたのはどこだっただろう。思い出しながら浅瀬を歩き回り、水底を覗いてみる。

陽の当たる場所に、ブラックホールは沈んでいた。岩陰に放り込んでおいたのが、潮に流されたらしい。慎一はそれを引き上げた。透明なペットボトルの内側いっぱいに詰め込まれているのが何なのか、はじめはわからなかったが、目を近づけてみて、ようやくわかった。身がぼろぼろになった無数のイワシが、釣り餌のミミズのように重なり合い、絡まり合って死んでいる。慎一はブラックホールの口に手を突っ込んで、逆さまに差し込んだペットボトルの先端を引き抜いた。ごぼ、と音がして、イワシの死体が雪崩《なだれ》をうって出てきた。ぬめった身体でつづけざまに慎一の右手をこすっては足元に落ち、卵の腐ったような臭いをさせながら、水の中をちらちらと白く輝かせる。ほどなくして、イワシたちはみんな浮かび上がってきた。腹を上にして、潮の流れに乗り、集まったり離れたり、一匹だけになったりしながらのろのろと動いた。

何かに取り囲まれていく。

それが何なのかはわからない。ただ、もうすぐ自分は出られなくなるという感覚だけが、慎一の胸で一秒ごとに強まっていた。どこから出られなくなるのかと聞かれても、こことしか答えられない。そしてここは、自分がこれまでまったく知らずに過ごしてきた、時間も感情も、何もかもが曖昧な、新しい場所なのだった。

ひどく居心地がいいような気がした。

水面に散ったイワシの臭いを吸い込んでも、もちろんくさいと感じはするが、厭だという感覚がなかった。小学生になって最初の冬、風邪でひどい熱を出したときに、それはよく似ていた。母がリビングに敷いてくれた布団の中で、全身に力が入らず、薄くひらいた瞼のあいだから白い天井ばかりを眺めていたとき、世の中のことすべてが自分からずっと遠くにあるように感じられ、厭なことも、面倒くさいこともぜんぶ自分とは無関係のように思えた。実際にはだるくて仕方がないのに、どうしてか、その気にさえなればいつでも走り出したり飛んだり跳ねたりできそうな気がした。しかも、いままでのどんな瞬間よりも速く、高く、勢いよく。

全身の肌の裏側、皮膚と肉とのあいだあたりで、むずむずと何かが騒いでいる。温度を変えないまま、血が沸騰しているような感じがする。ぷかぷかと浮いているイワシの塊に向かって、慎一は水面をはたくように右手を振り抜いてみた。すっかり柔らかくなっていたイワシの身体は指のあいだで千切れ、骨らしい尖ったものが指のどこかに触れ、肌にはぬるぬるしたサラダ油のような感触が残った。

海水の中で両手をこすり合わせてそれを落とし、慎一は山を振り返った。

濃い緑色。もこもことした全体のかたち。てっぺんのあたりにはブロッコリーのような木が生えていて、その後ろには薄い雲を浮かべた青空が広がっている。それらのすべてが、一枚の絵のように見えた。その手前にも向こうにも、何もないのではないかという気がした。

海から上がり、濡れた足に靴下とスニーカーを履いた。海水のビニール袋を持ち上げて、もう一度あの山を仰ぎ見る。歩き慣れた岩場を、そうして山に目をやったまま歩いていく。自分が進んでいるのではなく、山のほうが自分に近づいてくるように思えた。

ガードレールをまたいで道路を渡り、慎一はガドガドの裏に入り込んだ。

山の上まで行き着くと、凹みの水は生ぬるくなっていたが、ヤドカリの子供たちは相変わらず元気に泳いでいた。少し大きくなった気がする。色も僅かに濃くなったようだ。慎一は凹みの水を汲み出し、ビニール袋の海水をそっと注いだ。水底には何匹かのヤドカリが這っている。その中には、子供たちの親である、あの雌雄のヤドカリの姿もあった。水の中に手を伸ばし、その二匹をつまみ上げてみると、二匹はどちらもさっと殻の中に引っ込んだ。

これがいなくなったら、鳴海が哀しむだろう。

慎一は二匹をぽとんと水の中に戻した。別のヤドカリを捕まえて右の拳に握り込み、岩の向こう側へと回り込んだ。岩の裏の、へこんだ部分からライターを取り出し、ポケットから家の鍵を出した。

一人でヤドカリをあぶり出したことは一度もなかった。上手くできるだろうか。慎一は鍵の穴にヤドカリを載せた。右手でライターを鳴らして火をつけ、鍵に近づけていく。そのときゆるい風が吹き、ライターの炎を揺らした。斜めになった炎の、先端のほうへ、慎一は鍵をずらした。しかし風向きが変わり、また先端が動いた。そうやって何度か追い駆けっこをさせられたあと、さっと風が強まって、炎は吹き消された。

もう一度火をつけたが同じことだった。炎はあちこちへ動き、ヤドカリの殻を熱くする前に消えてしまう。もう諦めようかと思ったそのとき、視線の先に、枯れ葉の塊が見えた。たまたま風で吹き寄せられたのだろうか、まるで誰かがそうしたように、灌木の根元にこんもりと茶色い葉が集まっている。

ヤドカリとライターを持ったまま、慎一はそちらに移動した。灌木のあいだに足を突っ込み、枯れ葉を手前に掻き寄せる。もう一度足を伸ばし、同じように掻き寄せる。何度かその作業を繰り返し、慎一は岩のそばに小さな枯れ葉の山をつくった。

ライターを鳴らし、てっぺん近くの葉に火をつけた。

火は驚くほど素早く、最初の葉から周囲の葉へ、そこから全体へと燃え広がった。真っ白な煙が立ちのぼって岩の側面を這い上る。ライターの炎は昼の陽の中だとよく見えないのに、枯れ葉から上がった炎は濃いオレンジ色をしていて、舌のように突き出たいくつかの先端がべろべろと動くのがはっきりと見えた。

ぱちぱちと音をさせながら、やがて枯れ葉の山は炎を落ち着かせ、煙は真っ直ぐ上へ立ちのぼりはじめた。

鍵の上のヤドカリを、慎一は右手に持った。あまりに炎が大きすぎて、ヤドカリを上にかざしてあぶるのは、どう考えても無理だ。思案した末、慎一は殻の口を手前に向けて地面に置き、ライターの尻で押し出して枯れ葉の山の端まで寄せてみた。これならば、殻の先端だけが熱くなってヤドカリが這い出てくるに違いない。

そのまま待っていると、殻がぴくぴくと震えはじめた。ほどなくして土の上に、太いハサミを持ったヤドカリの身体が半分だけ飛び出して、すぐに引っ込んだ。慎一はいつでもヤドカリを捕まえられるよう、前傾姿勢でしゃがみ込んで右手を構えた。こちらに向かって走ってくるだろうか。それとも目の前に人間がいるのを知って、横へ逃げようとするだろうか。——どちらも違った。殻から素早く這い出したヤドカリは、いきなり身体を反転させ、山へ逃げ込む脱走兵のように駆け出したのだ。歪んだ腹を左右に振りながら、猛烈な勢いで枯れ葉の中へと突っ込んでいく。あ、と慎一が思わず声を上げたときにはもう、ヤドカリは炎の中にいた。そのとき慎一は、ヤドカリが、僅かな高さではあるが、飛んだように見えた。蜘蛛のように。雷に打たれた人のように。——ねじれて黒くなった葉の上、燃えさかる炎の中で、いまヤドカリは全身を痙攣させていた。一番大きく動いているのは左右のハサミで、それは四つにも六つにも見えた。やがてそのハサミの震えが徐々にゆっくりになっていったかと思うと、ばらばらに動いていたほかの脚たちがスローモーションのように動きをゆるめていき、ほぼ同時に硬直して動きを止めた。それでも灰色の腹だけがまだ、芋虫のようにぐねぐねと左右に振られていた。両目を見ひらいてヤドカリを見据えたまま、いつしか慎一は胸の前で手を合わせていた。ヤドカリは這いつくばったまま腹を振って、振って、振って——あるときその腹が爆《は》ぜ、周囲の炎がぱっと赤くなった。それと同時に、慎一は目を閉じた。

炎は燃えつづけ、額を熱している。すぐそこで、ヤドカリは小さな蟬の脱け殻のように、炎の底で硬くなっているだろう。いままでの、どんなヤドカリよりも硬くなっているだろう。それが黒こげになって消えてしまう前にと、慎一は祈った。合わせた両手を、熱くなった額に押しつけるようにしてヤドカミ様に祈った。

ここにいたい。ずっとここにいたい。

戻りたくない。

いろいろなものが燃えていく。熱の中へ溶けるようにして消えていく。吊られた左腕を撫でながら、教室で自分をじっと見た春也の目。春也を心配しない慎一を責めるような鳴海の目。つるつるした樹脂でできた昭三の足。車の助手席にもたれた純江の横顔。病室で半身を起こしていた父の姿。べろりと捲られた昭三の下唇。春也といっしょに十王岩が呻るのを聞きに行ったときの、胸の高鳴り。まだこんなに親しくなる前、夜の橋の上で偶然会った鳴海の、月明かりに照らされた白い額。夜風に乗って鼻先に届いたやわらかい匂い。それらが消えていくと同時に、慎一を取り囲んだものたちが、音もなく増えていき、ふくらんでいき、互いの隙間を埋めていった。そして隙間が埋まっていくたび、それまで縮んでいた肺がもとの大きさを取り戻していくように、自分の呼吸が楽になっていくのがわかった。手を合わせ、目を閉じたまま、慎一は眠りに落ちる直前のような、やわらかな落ち着きをおぼえていた。濁ってあたたかな水の中で、静かに暮らす生き物みたいに、ここなら見つからないぞというようなふわふわした安心感があった。

（九）

「ヤドカリの赤ちゃん、元気だったよ。少し大きくなって、色も濃くなってる。泳ぐのも、なんかちょっと上手くなってきた感じ」

翌土曜日の朝、教室に入ってきた春也に話しかけると、春也は一瞬驚いた顔をしたが、頷く仕草に紛らわせてその顔をそむけた。

「そやろな。生まれてからけっこう経つし」

「鳴海が、すごい楽しみにしてるんだよね、あれが育つの。おととい、いっしょに行ったときも、お菓子食べながらずっとヤドカリの子供見てたよ。――あ、来た来た」

教室の入り口に鳴海の顔を見つけたので、慎一はそちらへ向かい、凹みの様子を同じように報告した。

「あのままうまく育ってくれそうだね。ある程度育ったら、やっぱり殻が必要になるのかな。春也に訊いとかないと」

春也のほうを振り返ると、同時に相手の顔が動き、表情が前髪の向こうに隠れた。吊られた左腕をかばいながら、右手だけでバッグから教科書や筆箱を取り出している。そのまましばらく見ていたが、もうこちらを向くことはなかった。

「利根くん、今日は行くの？　あたしは踊りの練習があるんだけど――」

「行くよ、家でご飯食べてから。いい暇つぶしにもなるしね。また月曜日、ヤドカリの子供がどんなだったか教えてあげるよ」

鳴海は頷きながら微笑んだが、笑っているのは唇だけで、両目には明らかな途惑いが浮かんでいた。

「練習、頑張ってね。よかったらまた見せて」

「何を？」

「だから、踊り。こないだの、けっこうよかったよ」

何でも言えた。何でもできた。細かいことで腹を立てたり苛立ったり、いちいち不安や怨めしさを抱えていた頃のことなど、もう思い出と呼んでもいいくらいに感じられた。自分の身体が、声が、耳が、目が、自分のものではないみたいで、いまなら蚊柱の中で深呼吸さえできそうだった。

「指の骨、まだ治らないんだ？」

蒔岡にも話しかけた。

「牛乳たくさん飲むといいんじゃない？　小魚食べるとか」

慎一に話しかけられたこと自体が屈辱だというように、蒔岡はぐっと顔に力を入れた。ただでさえ大きな顔が余計にふくらんで見えた。ついと目をそらし、蒔岡は無言で背中を向ける。癖っ毛を短く刈った後頭部が、なんだかつくりもののように見え、慎一は冗談交じりにばちんとはたいてやろうとしたが、やめておいた。

休み時間にトイレから戻ってくると、机の中に折りたたまれた紙が入っていた。やっぱり、と思った。今日は入っていると思っていたのだ。

慎一はがらりと椅子を引いて座り直し、手紙を机の上に広げ、掌をこすりつけて丁寧に折り目を伸ばした。ノートをハサミで切り取ったのだろう、紙の端にはハサミ特有の一定のぎざぎざが残っていて、紙の真ん中には相変わらず汚い字で「死ね」と一言だけ書いてある。鼻と口から同時に何かが洩れ出たのを慎一は感じた。はじめはわからなかったが、すぐに、自分が思わずふき出してしまったのだと気がついた。――こっそり周囲を見渡すと、そこには書き割りのような教室の風景があり、影絵のように表情のないクラスメイトたちがいる。慎一は手紙とも呼べないそのノートの一枚をくしゃくしゃに握りつぶし、教室の後ろに置いてあるゴミ箱へ放ったが、縁に当たって落ちたので、苦笑しながら拾いに行った。

放課後、鳴海と春也に軽く声をかけて学校を出た。

凹みの水を替えておくと鳴海に言ったのは嘘で、山へ行くつもりなど最初からなかった。一日や二日のあいだ放っておいても、ヤドカリの子供は死にはしないだろう。もし死んでしまったら、ちゃんと水替えはやっておいたのに死んだのだと言えばいい。見ていないのだから、誰にもわからない。自分の周りの空気がすべて、ぬるくて心地よい液体に変わったように思え、その液体の中で慎一の身体は軽かった。

家に帰ると、お勝手に味噌汁と煮魚の鍋があり、お昼はそのおかずと炊飯ジャーのご飯を食べるようにという純江のメモが置いてあった。晩ご飯は別に冷蔵庫の中に入っているらしい。今日はまた帰りが遅くなると言っていたのを、慎一はようやく思い出した。

味噌汁と煮魚をあたためて昼食を済ませ、しばらく居間に寝転がってテレビを見た。ワイドショーばかりで面白くないので、ＮＨＫに回してみたら、ニュース番組でちょうどプロ野球のことをやっていた。しかしどうしてか、アナウンサーが外国語でも喋っているように、いくら画面を眺めていてもちっとも内容が頭に入ってこない。好きな選手のインタビューが映っても、その選手が何を言っているのかよくわからない。しまいには面倒くさくなって、慎一は足でテレビを消した。

ごろりと腹を上に向ける。手枕をして板張りの天井をじっと見ていると、それがだんだんと自分に向かって下りてきているように思えた。おや、と眉を上げて見直したが、もちろんそんなのは気のせいで、天井は動いてなどいない。

時間の流れのへんてこさは、まだつづいていた。ただ天井を見つめていただけなのに、気づけば頭の下で両手がすっかりしびれている。寝転がったまま手を胸の前に持ってきて腕を組み、慎一は飽きずに天井を眺めた。

カーテンの隙間から射し込む光が、見るたびに角度を変え、長くなっていった。それがだいぶ伸びてきた頃、慎一は足で勢いをつけて起き上がり、玄関を出て自転車に乗った。が、こぎ出そうとしたところで大事な物を忘れたのを思い出した。家の中にとって返すと、慎一は部屋の引き出しから鳴海の鍵を取り出した。

路地を飛ばしているあいだ、あたりの風景は、一台のテレビカメラが真っ直ぐに動いているように淡々と流れた。それが慎一には嬉しかった。前後左右に広がる景色と自分とが、何の関わりもなく思えるのが嬉しかった。慎一は口許に微笑を浮かべながらぐんぐんペダルをこいだ。海沿いの道に出て、ガドガドの脇を過ぎ、宙に浮いた四角いレストランの角を折れて真っ直ぐに進んだ。

（十）

「やっぱしここは駄目だよ純江さん、飯が駄目だ。不味いったらねえよ」

翌日曜日の午後、慎一は純江と二人で横浜の病院に行った。

「でも、しばらくのあいだのことですから」

「昨日の朝なんてさ、しらすの大根おろしに、こんな塊が入ってんだ。ちゃんとおろしてねえんだよ」

ベッドから半身を起こした恰好の昭三は、考えられないくらいの大きさを指で示した。

「ひじきだって味が薄いしさ、だいたい豆が入ってねえんだもん。ひじきに豆を入れねえってのは、あれかな、大都会の文化なのかな」

「お義父さん――」

純江がカーテンの向こうを気にすると、昭三はふんと笑って顎を突き出した。

「みんな言ってるよ、飯のことは。でかい病院は患者のことなんて本気で考えてねえんだって。だからちゃんとした飯が出てこねえんだって。でもまあ、それをはっきり病院の人間に言う患者はいねえけどさ。そんなことして医者怒らせたらほら、下手すると診察が」

昭三は顔をしかめて言葉を切り、人差し指を重ねて顔の前でバッテンをつくった。

困り果てたように、純江が顔を伏せる。さすがに申し訳ないと思ったのか、昭三は慎一に目を移した。

「なんだ慎一、やけにだんまりだな今日は」

「そう?」

「べつに病院だからって、そこまで静かにするこたねえんだぞ。見舞いに来てんだから、ちょっとは喋りゃいいじゃねえか」

単に昨夜のことを思い出すのに忙しかっただけなのだが、慎一は頷いて笑い返した。

「祖父ちゃん、こんどあれ買ってこようか。ほらあの、イワシの骨のやつ。おやつがあったら、ちょっとはご飯のことも我慢できるでしょ?」

「ほね煎餅か? おお、気が利くじゃねえか。あれを食えば、ここも早くくっつくかもしれねえ。カルシウムだからな」

昭三はネットで押さえつけられた頭のガーゼを、見せびらかすように指さした。

「しかし、もうちょっとしたらいよいよ真夏だなあ。まさかそれまでここにいるこたねえだろうけど、真夏の飯なんて、いまよりもっと不味いんじゃねえかな」

同意を求めるように、昭三は言葉の最後を隣のカーテンに向けたが、返事はなかった。

「夏は岩牡蠣をちゅるっとやりてえな。よおく冷やしてさ。ニュース見ながらさ」

純江が口許に微かな笑みを浮かべて頷いた。耳にかかった髪が顔の横へ流れ、それをまた指先で耳の上へ戻す純江の仕草は、昨日までとまったく違っている。それとも単に、慎一にそう見えるだけだろうか。

「なんだよ座れよ慎一、そこに椅子があんだからさ。純江さんも座んなよ」

ベッドの脇に置かれた折りたたみ椅子をひらき、慎一と純江は並んで腰を下ろした。それから昭三はまた病院の文句を言ったり、前の病院のことを褒めたり、どうしてこんなに長いこと入院していなければならないのかと首をひねったりし、純江は当たり障りのない言葉を返していた。そのあいだに慎一は、さっきまで思い出していたことを、また頭の中にめぐらせはじめた。

昨夜、慎一は鳴海の父親の車に潜んだ。

前回とはまったく違う気分だった。鳴海の父親に見つかってしまうのではとか、車が自分の知らない場所へ行ってしまうのではとか、そんな心配はまったくしていなかった。どうにかなるという気持ちが頭の大部分を満たしていて、残りの一部分にあったのは単純な興味だった。今日も母は助手席に乗り込んでくるに違いない。海沿いの道で、また二人でぼそぼそと話すに違いない。それからきっと、べちゃべちゃしたあの音をさせるのだろう。そんなことばかりを考えていた。

そして、やはりそのとおりになった。

車は慎一をハッチに乗せたまま会社の駐車場を出ると、何箇所かで停まり、そのたび鳴海の父親が鞄を持って運転席を出ていった。十五分か十分か、早いときはそれよりも短い時間で戻ってきた。慎一はハッチの床に身を横たえ、油の染み込んだタオルを嗅ぎながら、純江が乗り込んでくるのを待った。

夕暮れどきに、純江は助手席に乗り込んできた。エンジン音のせいで、やはり会話の内容は聞き取れなかったが、どちらかというと二人とも、今回のほうが口数が多かった気がする。

しばらく走って車が停まったときには、もう陽が落ちていた。慎一はほんの一瞬だけ身を起こし、リアウィンドウの外に目をやって周囲を確認した。まったく同じ場所だったのかどうかはわからないが、前回のように、穴に似た真っ暗な海が見えた。

二人の会話がだんだんと間遠になっていき、やがてあの粘着質の音が、途切れ途切れに聞こえてきた。そろそろ終わるかと思ってからも、まだしばらくつづいた。

鳴海の父親が、やがて低い声で何か言った。返事はなかった。もう一度、まったく同じ語調で、たぶんまったく同じ言葉が繰り返された。今度も返事をしないのかと思ったら、ずいぶん経ってから純江が小さく声を返した。それから、いくつかの言葉が交わされた。

今日もこれから二人で車を出ていくのだろうか。並んで海辺を歩くのだろうか。

しかし、不意にエンジンのかかる音がして、車は少しバックしたあと、道路へと滑り出した。そのまま一度も角を曲がらなかった。海沿いの道を真っ直ぐに走っているらしい。どこへ向かっているのだろう。慎一はハッチの床に寝そべって、リアウィンドウ越しの星空を眺めていた。

やがて、初めて車が角を曲がった。それからはゆるゆると進み、低速のまま左右に一度ずつ車体が振られ、やがてがたんと段差を乗り越える振動が伝わってきた。そのときリアウィンドウの上に、何か黄色く光るアーチのようなものが一瞬見えた。

建物の壁がちらりとウィンドウの端をかすめ、星を散らした空が消え、急に真っ暗になったかと思うと、蛍光灯の白い光がいきなり目を刺した。車の進行につれて、明るい蛍光灯が規則的なペースでリアウィンドウの向こうを通り過ぎ、慎一は頭がくらくらした。

車が頭を右へ振り、減速して停まったかと思うと、すぐに後退しはじめた。だんだんと動きがゆっくりになっていき、やがて完全に停車すると、サイドブレーキを引く音がしてエンジンが止められた。

かち、という音が二回した。シートベルトを外したのだろうか。

会話はなかった。ほとんど同時に二つのドアがひらき、運転席のドアが先に閉まって、少し遅れて助手席のドアも閉まった。ぼこ、という音をさせて、ドアが一斉にロックされた。

念のため、一分ほど慎一は動かずにいた。

もういいだろうと思い、そっと身を起こすと、そこはどこかの屋内駐車場だった。それほどたくさんの車が停まっているわけではなく、空いているスペースのほうが多い。駐車場内には二人の姿も、ほかのどんな人の姿も見えなかった。磨《す》り硝子の塡《はま》ったドアが、すぐ目の前にある。鳴海の父親と純江は、あそこを入っていったのだろうか。ノブやレバーがないので、どうやら自動ドアのようだった。

シートに靴底をつけないよう気をつけながら、慎一は後部座席を乗り越えた。右側のドアロックを解除し、ドアに肩を密着させながら、そっと押し開けた。排気ガスの臭いがあたりに漂っている。四方を囲んだコンクリートの冷たいにおいと、埃のにおいもした。ここはどこなのだろう。二人は買い物にでも来たのだろうか。

もう一度周囲に人がいないことを確かめてから、慎一は車を離れた。磨り硝子の塡ったあのドアへ向かおうとしたが、開けたらすぐそこに人がいるかもしれない。純江や鳴海の父親がいるかもしれない。まずはここがどこなのか知ろうと、慎一は駐車場を横切って、外部に通じている出入り口を探した。すぐに見つかった。ちょうど二台の車がすれ違えるほどの幅で、ぽっかりと四角い穴が開いている。その向こうは暗いが、ブロック塀のようなものと、その手前に植え込みが見えた。慎一はそこを抜けて振り返り、胸をそらすようにして、自分が出てきた建物を見上げた。——白い壁。四角い窓が縦横に並んでいる。窓の数からすると五階建てのようだ。店やレストランではない。マンションだろうか。

ブロック塀に沿って、車が行き交う音が聞こえるほうへと向かった。あちらが道路のようだ。行く手に、どこか安っぽい感じのアーチが光っている。さっき車がくぐってきたやつだろう。黄色く光る四角形が真横に連なっていて、一つの四角形につき一文字、赤いひらがなが浮き出している。「ありがとうございました」。アーチを抜けて、振り返って見てみたら、そちらには「いらっしゃいませ」という文字が並んでいた。

ブロック塀の切れ目から路地が見える。慎一はそこまで行き、背後を振り返った。

ああそうか、と思った。

そこが何をするための建物であるのか、慎一は知っていた。

「……純江さん、ちょっといいかい」

昭三の声で、慎一はふと回想を断ち切られた。

祖父の目は、純江ではなく慎一を見ていた。

「慎一と、ちょっと」

「何ですか？」

「なに、祖父ちゃん？」

訊いたが、昭三は答えず、純江のほうを向いて言う。

「ちょっとでいいんだけど……慎一と話させてくれねえかな。なんだかせっかく来てもらってんのに、申し訳ねえとは思うけどさ」

「いいですよ」

不思議そうに言葉尻を上げ、純江は折りたたみ椅子から立ち上がった。タイトスカートから出たストッキングの膝が、慎一の足を微かにこすってベッドを離れていく。そのまま廊下へ出ると、そこで一度だけ振り返って慎一と目を合わせ、純江はちょっと困ったように微笑してから右手に消えた。ゆっくりしたスリッパの音が小さくなっていく。

「――慎一」

呼びかけられ、昭三に目を戻した。昭三は何か細かい文字でも読むような顔つきで、眉間に皺を寄せ、慎一の目をじっと見ていた。いったい何だというのだろう。そのまま言葉をつづけようとしないので、慎一のほうが口をひらこうとしたら、やっと言った。

「お前、ゆうべちゃんと寝たか？」

そういえば、明け方まで起きていた気がする。

「寝たよ」

そうか、と昭三は声だけで頷いた。

昨夜、建物のゲートを出た慎一は、長い時間かけて海沿いの道をたどった。鳴海の父親の会社へ向かい、停めておいた自転車に乗ると、誰もいない家に帰った。

そのあいだずっと、ある一つのことを想像していた。

それは鳴海の父親がグロテスクな一匹の蟹に全身を喰い破られ、血だらけになって死んでいくという想像だった。それを繰り返し頭の中に思い描くことで、長くて暗い道のりを、慎一は疲れさえ感じることなく乗り切った。

「なんか、話したいことがあるんじゃねえのか?」

さっきまでと同じ表情のまま、昭三は訊く。

「べつにないよ、何も」

慎一が笑い返しても、顔つきは変わらなかった。

「俺ぁお前、昨日今日生まれたわけじゃねえんだ。話してみろ、ためしに」

「ないって、何も」

慎一が舌打ちをすると、昭三の表情が揺れた。まるで孫の顔に小さな虫でも張りついたかというように、ふっと両目を広げて唇をすぼめた。

「勘違いだよ、そんなの。だって祖父ちゃん、僕のことなんてわからないでしょ。このまえ鳴海のことだってわからなかったじゃん。わからなかったから、そんなふうになったんじゃん」

慎一はネットを被せられた昭三の頭を顎で示した。

「そういうこと言わないでいいよ、面倒だから」

半笑いの口で言葉を発するごとに、ぐらついた乳歯を無理に動かしたときのように、ぞくぞくと胸の奥がうずいた。慎一は昭三の目を見返して言葉を待った。何か言われたら、また言い返すつもりだった。しかし昭三は、急に諦めたような顔になって白い布団に目を落とした。

「お前、あんまし腹ん中で、妙なもん育てんなよ」

慎一にではなく、掛け布団か、それともその上に置かれた皺だらけの手に話しかけたような声だった。頭の中で血をふくらませている昭三がそんなことを言ったのが、まるで冗談のように慎一には聞こえたが、もう笑うのも面倒だった。

「約束、憶えてるな？」

昭三はまた顔を上げ、目を真っ直ぐに合わせた。約束というのがいったい何のことだか慎一は思い出せなかったが、早くこの会話を切り上げたくて頷いた。

それをちっとも信じなかったように、昭三はつづけた。

「何かんときは、必ず相談しろ。俺にでも、純江さんにでもいい」

「わかってるよ」

慎一は頬を持ち上げ、目を細めて頷いた。その慎一の顔に、昭三はほんの数秒視線を置いていたが、やがて自分も頷いて目をそらした。

「純江さん、そのへんにいるかな。急に追い出しちまって、悪いことしたな」

「呼んでくる」

立ち上がり、慎一は病室を出た。

頭の奥のほうから、耳鳴りのような音が聞こえてきた。いままでずっと聞こえていたような気もする。それは金属質の、途切れのない音で、とても高いので音程がよくわからないが、上下したりうねったりせず、長い長い一本の針のように、同じ高さのままひたすらつづいていた。廊下の端に置かれた長椅子に、純江が座っている。何かを考えているように、思い出しているように、両手の指先を腿の上で合わせ、それをじっと見ている。慎一が近づいていることに気づいてもいない。スリッパの音が聞こえない距離ではないのに、こちらを向こうともしない。もう少し近づいてみる。まだ気づかない。あと少し。気づかない。

そのとき、びっしりと自分の周囲を固めてくれていたものたちが、ふっと薄らいで隙間を空けそうな気配を慎一は感じた。すんでのところで、慎一はそのことに気づいて立ち止まった。立ち止まると、周囲の薄らいだ部分が徐々に濃度を増し、ふたたび慎一をしっかりと取り囲んでくれた。

純江が顔を上げ、こちらを見た。

「もういいってさ」

慎一は笑いながら純江に近づいた。

（十一）

凹みの中で、ヤドカリの子供はすくすくと育った。

体長はもう五ミリほどになっていて、す、す、す、と泳ぎながら、ときどき底のほうで何かを探すような仕草を見せるようになった。隠れるための殻を探しているのではないかと慎一が言うと、まだ早いと春也は首を振った。

「あれはただ苔を食うとるだけや」

そのまま、慎一と口を利いてしまったことを口惜しがるように、眉間に力を込めて目をそらした。

その日は久しぶりに春也と二人で山にいた。

春也がここへ来るのは、腕を骨折して以来のことだ。

あれから鳴海は、踊りの練習のため、放課後になると一人で学校を出ていくことが多くなった。しかし、たまに練習の入っていない日があると、慎一と二人で山へ入って凹みの水を替え、ヤドカリの子供を観察し、ときどきお菓子を食べたりして、夕方前までいっしょに過ごした。感情に苔が何重にもまとわりついたようなぼんやりとした感覚は、もうだいぶ板についてきていたので、慎一は鳴海と二人でいても、以前のように胸が変に高鳴ったり、何かの仕草にじっと見入ってしまったりするようなことはなかった。それはずいぶん楽だったし、鳴海のほうもそんな慎一といて楽しそうだった。鳴海はまだ父親の相手のことを気にしていて、どんな人なのか知りたいと、もどかしそうに言うときがあったが、慎一は教えてやらなかった。

二日に一度くらいの割合で、慎一の机には手紙が入れられていた。ハサミで切り取ったノートの一ページに、馬鹿の一つ憶えのように「死ね」だの「学校くるな」だの「人ごろしの孫」

だのと書かれていた。それを見つけるたび、慎一はいちいち丸めてゴミ箱へ放っていたが、いまはそれも面倒になって、ここ最近の三、四枚は机の中に入れっぱなしにしてある。授業中、その重なった紙が目に入ってきても、哀しくもなければ悔しくもなかった。むしろ、そういった感情をおぼえなくなった自分自身を確認できて嬉しいくらいだった。

「ちょっと風が出てきたね」

慎一は春也に顔を向けたが、返事はなかった。春也は口に入れてしまった不味いものをなかなか飲み込めないというように、咽喉のあたりに力を入れて唇を結び、じっと凹みを見下ろしている。

今日、春也を誘ったのは慎一だった。

——腕が折れてるからって、毎日家にいちゃ退屈でしょ？　いっしょに行ってみようよ。

片手だけで登るのは無理だからと、はじめは断られた。険しい場所では自分が手を引いたり背中を押したりするから大丈夫だと慎一が食い下がっても、駄目だった。

——俺、べつにもうええねん、あんなとこ行きたくないねん。

——飽きちゃったの？

訊くと、しばらく考えてから春也は答えた。

——そやな、飽きてん。

——飽きててもいいじゃん、付き合ってよ。今日は鳴海も踊りの練習があって行けないみたいだから。

前髪の向こうの苛立たしげな目が、じろりと慎一を見た。五秒くらい、春也はそのまま動かなかった。春也を山へ誘うのには、本当は別の目的があったのだが、いくら顔を見られても自分がそれをまったく表情に出していない自信が慎一にはあった。

――今日だけでいいからさ、行こうよ。

春也はとうとう諦め、しぶしぶではあるが首を縦に振った。

そして放課後、いっしょに学校を出てきたのだ。

けっきょく春也は、山を登っている最中、一度も慎一の手を借りなかった。いくら助けてやろうとしても、仕草だけで断って、全身を汚し、左腕の包帯にまで土をつけて一人でここまで登り切った。

「岩、呻るかな。そういえばずっと聞いてないよね、この岩が呻るの」

春也は頷いたが、注意して見ないとわからないほどの仕草だった。

先ほどからずっと、慎一はあることを切り出すタイミングを見計らっていた。どんな瞬間に、どういう言い方をすれば一番効果的だろう。それとなく口にしたほうがいいのだろうか。それとも、口許をにやりと歪め、思いっきり馬鹿にするように言ったほうがいいのか。あるいは急に立ち上がり、真っ直ぐに相手を見据えて、人差し指でも突きつけながら叫ぶように言ってやるのがいいか。――凹みを覗き込んだまま春也が口を利かず、表情さえ動かさずにいるので、慎一はだんだんと我慢ができなくなってきた。

「あのさ、春也」

声をかけても反応はない。しかし慎一にはそれがむしろ嬉しかった。いま慎一の口から出てこようとしている言葉を、春也は想像さえしていないのだろう。だからこそ、あんな態度でいられるのだ。慎一は自分が一つの巻き貝になったような気がしていた。ライターで腹を熱されたヤドカリが、もうすぐ口から飛び出そうとしている。尖ったハサミを手に、剝き出しの恰好で春也に飛びかかろうとしている。

が、やはり少々考え直して、まずはハサミの先だけをちらりと見せてやることにした。

「手紙、楽しい?」

まだ、何の反応もない。

慎一は内心で首をひねった。やせ我慢をしているのだろうか。それとも驚きすぎて身体が動かなくなってしまったのだろうか。

ずいぶん経ってから、春也の顔がゆっくりとこちらへ向けられた。黒目が横に移動し、ぴたりと慎一を見た。そのとき春也の頰が微かに強張っているのを、慎一は見逃さなかった。

「――なんて?」

「だから、手紙」

怒った表情も、笑った表情もつくらず、何でもないような顔で慎一は言った。

「僕にあんなことして、楽しいの?」

風が吹いて二人のシャツをはためかせた。視界の端で凹みの水が細かく波立った。顔を見合ったまま、どちらも言葉を発せず、やがて春也のほうが目をそらしかけたが、慎一はそれを引き戻そうと言葉をつづけた。

「気持ち悪いと思うよ、ああいうの」

諭すような口調で言ってやった。そのほうが、いっそう相手を傷つけることができる。いっそう恥ずかしい思いをさせられる。慎一は相手の心臓を鋸《のこぎり》で挽《ひ》こうとしているような、残酷な興奮を感じていた。

気づいたのは、いつからだったろう。

昏を真横に引き結んだ春也の顔を眺めながら、記憶をたどってみる。

ずっとわかっていたようにも思えるし、つい最近わかった気もする。以前は手で破られていたノートの紙が、ハサミで切り取られているようになったときに、初めて気づいたのだったか。それが春也が片腕を使えなくなったタイミングと一致していたから。いや、そのときは気づいたのではなく、確信したのかもしれない。初めて疑ったのはいつのことだったろう。知らないふりをして、見逃しはじめたのはいつからだったろう。――しかし、そんなことはもうどうでもよかった。いま慎一は、目の前にいる春也に対してできるだけむごい仕返しをすることだけを考えていた。

「あんなことつづけて、自分で恥ずかしくなかったの?」

半笑いを浮かべながら言った。春也が逆上するのを待った。顔を真っ赤にして睨みつけてくるだろうか。逆に、青くなって目をそらし、いつまでも黙り込むだろうか。

どちらでもなかった。

春也は無表情のまま顔をそむけると、凹みの水にすっと右手を突っ込んだ。

「ねえ春也――」

「あれなんやな、赤ちゃんのときは、えらい綺麗なかたちしとんねんな」

春也は水から抜き出した手を顔の前に持ち上げて眺めた。

「あんまし、こうしてじっくり見たことなかったわ。前の学校におったときも、よく放課後に一人で海の中覗いたりして、ヤドカリの子供なんていくらでも見ててんけどな。やっぱし離れて見とるだけやと、駄目なんやな」

誤魔化そうとしている。話をそらそうとしている。それだけは許せなかったので、慎一は何か攻撃的な言葉を口にしようと息を吸い込んだが、春也が先につづけた。

「俺ずっと思っとったのやけど、なんかヤドカリって不思議やと思わへん？　あの殻って、いつ頃からいるようになるのやろな。赤ちゃんのときは、みんな殻なんて持ってへんやろ？　だからみんな、こうやってスイスイ泳いどるのやろ？　殻を背負うと、いくらか安全かしらんけど、そのかわりぜんぜん泳げへんようになるやん。どっちがええのんかな」

一匹のヤドカリの子供が、春也の掌の上でもぞもぞと全身をくねらせながら水を探していた。春也は鼻先にそれを持ってきてじっと眺めていたが、目は、何か極端に遠くのものを見ているように焦点がぼやけていた。

「俺も、赤ちゃんのときはこんなやってんで」

いったい何の話をしようというのか。

「昔の写真見るとな、どれ見ても、怪我なんてぜんぜんしとらんで、えらい嬉しそうに笑ってんねんで」

そんなことは関係ない。いまは手紙の話をしているのだ。何通も何通も、春也が慎一の机に入れていた、あの気持ちの悪い手紙の話を。

「春也」

言いかけたとき、いきなり春也が右手を握った。ヤドカリの子供は指先ですり潰され、ふたたび掌がひらかれると、そこには黒くて散り散りのものが残っているだけだった。

「もう、せんて」

声の最後が、息で掠れた。

「大丈夫やて」

慎一に顔を向けないまま、春也はまた凹みの水に右手を差し入れる。抜き出して掌をひらいたとき、そこには新たに二匹のヤドカリの子供が捕らえられ、並んで身をくねらせていた。長いこと、春也は何も言わなかった。掌の上で不器用に動き回るヤドカリの子供を、疲れたような目で眺めているだけだった。

「ぜんぶ、厭やってん」

やがて、ぽつりと言った。

「家のこととか、学校で、だぁれも話しかけてくれへんこととか」

そんなものは言い訳だ。だいたい、家のことはまだしも、学校では少なくとも慎一は話しかけていた。春也と仲良くしていた。

慎一がそれを言うと、春也はしばらくしてから頷いた。

「ありがたかったで。いつも感謝しとったよ」

「なら何で」

「わからへんねん」

春也が指を閉じ、掌に載っていた二匹の子供は同時に潰れた。

「何でお前の机にあんな手紙入れとったのか、自分でもわからへんねん。嘘やないで。ほんまにわからへんねん」

ばらばらに千切れたヤドカリの子供を、春也は指先でしばらくいじっていたが、やがてそれを首から吊られた白い布になすりつけた。

「四年生になった最初の日、俺とお前だけランドセルで学校行ったやろ。俺はつぎの日すぐスポーツバッグにしたけど、お前、まだそのままやったやん。あんとき俺、教室でお前にバッグ見られんの厭やった。お前が俺のバッグを見ないようにしとるのも厭やった。最初から、ずっと仲良くしてくれてたから」

腕を吊った布の表面には、ヤドカリの子供が途切れ途切れの黒い線になって残っていた。

「この腕な、ほんまは事故ちゃうねん」

何か大事なものを諦めたような、虚《うつ》ろな声だった。

「親父にやられてん。もうこの家の子供でいるのが厭や言うたら、やられてん。さすがに痛かったわ。死ぬんちゃうかと思った」

春也は凹みに手を入れて新しいヤドカリの子供を捕まえた。

「お前が考えとったこと、俺わかってたてん。お前が俺のこと嫌いになりはじめとるの、わかってたてん。ここで目ぇつぶって手ぇ合わせてるときも、お前、俺のこと考えとったやろ？　俺がどうにかなればええって思っとったやん。でも、あれやんか。お前に嫌われたら、俺もう、行くとこないやん」

身体の中の空気を入れ換えるように、春也は鼻から大きく息を吸い込んだ。それを吐き出しながらつづける。

「だからな、あのとき俺、お前の願ったとおりになってやろう思ってたてん。親父に反抗して、ぐちゃぐちゃにされたろうって」

また、春也は右手を握った。

「まあ、いま考えたら、ただの言い訳やったのかもしれへんけどな。一回、本気で親父に反抗して、言いたいこと言いたかっただけなのかもしれへんけどな」

ゆっくりと春也が指をひらいたとき、ヤドカリの子供はまだ掌の上で微かに動いていた。春也はその掌を無造作にズボンにこすりつけた。

「親父、仕事が駄目なんやて。上手くできひんのやて。なんや、ずっと前、夜中にお袋とそんな話しとったのが聞こえたわ。……俺が寝とると思ったのかしらんけど、あんな馬鹿でかい声出されて、ぐうぐう寝てられる奴なんておるかいな」

しぼんでいくように背中を丸め、春也は凹みの縁に手を添えた。

「何で上手くいかへんのやろな」

指先で水面の端を無意味に弾きながら呟く。

「ぜんぶ、何で上手くいかへんのやろ」

急に、春也が握った右手で自分の顔の中心を殴りつけるような仕草を見せた。何をしたのか、慎一にはわからなかった。

「どうすればええのやろ。俺もう厭やわ」

また、春也が右手の甲を顔にぶつけた。そのときになって初めて慎一は、春也が涙を拭ったのだと知った。春也は顔を僅かに反対側へ向けていたので、目元は見えなかった。

慎一は顔をそむけた。

苔に覆われた感情の中心で、何かが声を上げていた。しかし慎一はその声を聞きたくなかった。顎に力を入れ、唇を引き締めて目の前の岩を睨みつけた。岩肌の起伏を視線で追い、その無意味な行為に集中しようとした。

春也を憎みたかった。憎めば憎むほど、いまこうして仕返ししたことをあとで思い出し、気持ちがいいだろうから。せいせいした気分になれるだろうから。しかし、内側から聞こえる声はだんだんとボリュームを増していった。内容は聞き取れないが、その声は同じ抑揚をもって、慎一の耳の奥で何度も何度も繰り返された。いくら聞くまいとしても無駄だった。目玉の裏側を、いくつかの情景が勝手に流れはじめた。ガドガドの裏で慎一がビールケースに埋まり、二人で腹が痛くなるほど笑ったときのこと。いっしょに登った建長寺の裏山の景色。並んで眺めた十王岩。潮だまりから春也が拾い上げた五百円玉。スーパーまで競争のように走って二人で買ったイチゴ。そのお釣りで春也が買ってくれたポテトチップス。――春也は膝の上に置いた右腕に顔を強く押しつけて、声を出さずに泣いていた。Tシャツの肩がときおりひくりと震え、浅い、不規則な呼吸が腕の隙間から聞こえた。

どうしてぜんぶ、上手くいかないのだろう。

春也の言葉が、いまは慎一の胸の中で繰り返されていた。共鳴するように、慎一自身の声がいつしかそれに重なり、その声にまた春也の声が重なって、気づけば慎一の胸は無数の同じ言葉で隙間なく埋めつくされていた。どうしてだろう。どうすればいいのだろう。自分たちはどうすればいいのだろう。

そのとき目の隅で、何か小さなものが動いた。

見れば、凹みの縁に一匹のヤドカリがもぞもぞと這い上がって顔を出している。それは子供たちの母親の、あの白い雌ヤドカリだった。

慎一はヤドカリを見た。隣で、春也も顔を上げて同じものを見ているのがわかった。

二人のあいだに何かが通じ合ったのを、慎一は感じた。それは、言葉では絶対に言い表せない何かで、しかし固い、しっかりとしたかたちを持った何かだった。

やがて、引き出されるように、自分の口から声が洩れるのを慎一は聞いた。

「ヤドカミ様に、お願いしてみようか」

ぴくりと春也の頭が動いた。

慎一はもう一度、こんどははっきりと自分の意思で、同じ言葉を口にした。

「お願いしてみようか」

長い沈黙のあと、春也が声を返した。

「どっちがや？」

慎一が答える前に、春也は言った。

「お前も、叶えてもらいたいことがあるのやろ？」

自分が叶えてもらいたいこと――。

「俺、なんとなく、わかっとったで」

どちらも、互いの顔を見なかった。

凹みの縁のヤドカリに目を向けたまま、春也がつづけた。

「ヤドカミ様、叶えてくれると思うで。何でも」

何でも――。

「最初は、お前でええよ。お前の願いが叶ったら、そのときは俺や。俺の願いを言うわ」

低く呟かれる春也の言葉は、一言一言、耳を通じて、毒液のように慎一の頭の中心へ染み込んでいった。

「……怖いんか？」

それは曖昧な問いかけだったが、二人のあいだではははっきりとした意味を持っていた。腹に力を入れ、固まっていた顎を動かして、慎一は答えた。

「怖くない」

自分は怖がってなどいない。怖がっていては願いは叶わない。いつまでも叶わない。

視界の端で、春也の腕が素早く伸びて白いヤドカリを捕らえた。一瞬遅れて慎一が目を向けると、春也はヤドカリを手の中に握り込んで立ち上がるところだった。

「やろか」

二人で岩の後ろに回った。

無言のまま、互いに肩を触れ合わせるようにしてしゃがみ込み、周囲の風から手元を守った。慎一がヤドカリを鍵に載せ、春也がライターの炎を近づける。そこで一度、炎は風に吹き消されたが、春也はすぐにまた石をすった。慎一は空いているほうの手で、ほとんど炎を握るようにして風を防いだ。

「どんな願いや？」

自分の願い。叶えて欲しい願い。

ヤドカミ様が叶えることのできる願い。

「お母さんのこと」

慎一が答えたとき、白い貝殻の口から微かな水滴とともに灰色のハサミが飛び出して、すぐに引っ込んだ。

「お母さんと、鳴海のお父さんのこと」

ライターを持つ春也の手が、ほんの少しぶれた。しかし春也はこちらに顔を向けなかった。慎一が話すあいだ、一度も口をひらかず、頷きもせず、じっとライターの炎でヤドカリをあぶりつづけた。

海沿いの道で母が鳴海の父親の車に乗っているのを見たこと。母の様子が以前と変わったこと。しばしば帰りが遅くなること。鳴海の父親の会社の場所。どんな車に乗っているのか。

——一つの言葉がつぎの言葉を引き出し、その言葉がまた別の言葉へとつながって、胸の中でひしめいていたものがすべて、途切れることなく慎一の口から出ていった。鳴海が失くしたと言っていた鍵は自分が持っていたこと。その鍵を使って車のハッチに潜んだこと。そこで聞いたもの。見たもの。母と鳴海の父親が入った建物。その建物がどこにあるのか。言葉は次第にテンポを速め、慎一は目の前の炎を睨みつけたまま、いつしか息を吸うのも忘れて話していた。土曜日に、いつも母は鳴海の父親と会う。今週もまた会うかもしれない。二人で車に乗り、あの建物に入っていくかもしれない。

二つのハサミが同時に貝殻の口から突き出され、一瞬そこで動きを止めたと思うと、いきなりヤドカリの全身が宙に舞った。地面に落下したそれに、慎一は素早く左手を被せた。雌のヤドカリは必死に暴れ、暴れ、暴れ、手の皮膚を突き破りそうな勢いで親指の腹にぶつかってくると、その直後に今度は小指の付け根に激突して、それから手の檻の中を、出口を求めて無茶苦茶に走り回った。慎一は徐々に左手の指を握り込んでいった。雌ヤドカリは逃げ場を失ってさらに激しく暴れた。

岩のへこみに隠してあった粘土を、春也が取り出した。一かたまりを千切り取り、そのまま右手だけで器用に台座のかたちへと整えていく。

「そんで……どうして欲しぃねん」

言いながら、春也はできあがった台座を地面に置いた。慎一は八本の脚を振り回しているヤドカリをつまみ上げ、その上にしっかりと固定した。少しも休むことなく、狂ったように、雌ヤドカリはいつまでも全身を使って台座の上から逃げ出そうともがきつづけた。

「ヤドカミ様に、どうして欲しぃねん」

苔むした感情の奥底から、奇怪な瘤《こぶ》のような塊が突き上げてきた。歯を強く食いしばり、慎一はもがくヤドカリを睨みつけて呼吸を止めた。

怖くない。何も怖いものなどない。

ぜんぶ上手くいく。

慎一は台座に向かって両手を合わせた。目をつぶり、ゆっくりと息を吸って――。

「鳴海のお父さんを」

自分の願いを口にした。

「この世から消してください」

それまで吹いていた風がやんだ。自分と春也と、台座の上のヤドカリ。それだけを残して世界からすべての生き物が消えてしまったように静かだった。慎一は自分の鼓動を、耳の後ろに聞いた。春也がライターを持ち上げて石をする、シュッという音に、全身の血が一斉に聴き耳を立てた。

「焼くで」

炎の中で、雌ヤドカリは全身を振り回し、その場から逃げ出そうとしつづけた。薄く目をひらいた慎一には、そのヤドカリが人間の顔をして、二つのハサミを大きく振り立てながら、恐ろしい形相で二人を睨み上げているように思えた。オレンジ色の炎に全身を焼かれ、ヤドカリはなおも動きを激しくしていき、しかしやがて機械の電池が切れるように、その動きはだんだんと小さくなっていった。最後には、微かな脚の震えだけを残してすっかり動きを止めた。

その脚も、すぐに動かなくなった。

慎一は熱くなった家の鍵をポケットに仕舞い、かわりにこの場所で鳴海から盗んだ鍵を取り出して地面に置いた。春也はそれを一瞥すると、何の物音もさせない動きで立ち上がった。空は痩せたような色をして、地面には木々の葉陰がまったく見分けられない。

二人は山を下りた。

家に帰ると純江が、土曜日はまた帰りが遅くなりそうだと言った。

（十二）

土曜日の午後――。

誰もいない居間に座り込み、慎一は薄い窓硝子が風に震えるのを眺めていた。

お勝手の鍋の中には、昨日の夜のうちに純江がつくっておいたカレーが入っている。しかし、四時間の授業を終えて学校から帰ってきた慎一は、まだ鍋の蓋さえ開けていなかった。不思議なことに、まったく腹が減らないのだ。こうして長いこと居間に座っていても、まだ減ってこない。このままずっと何も食べずにいられるのではないかという気さえした。

ゆうべカレーライスをつくっているとき、純江は流し台の下の戸を開けて果物ナイフがなくなっていることに気がついた。戸の内側の包丁立てに、普段使う文化包丁といっしょに差してあったはずのものだ。

——慎ちゃん、どこかにやってないでしょ？

慎一は首を横に振り、リンゴでも剝くのに昭三の病院へ持っていったんじゃないかと言った。そんな憶えはないと純江は笑い、しばらくのあいだ、あちこちの戸を開けたり閉めたり、水切り籠の中を覗いたりしていたが、やがて居間にいた慎一のそばに膝をついて顔を覗き込んできた。

——ほんとに知らない？

そのとき自分が見せた演技は大したものだった。ちょっとむくれた顔をして、両目に力を込め、ほんの数秒、いかにも言葉が見つからないというように相手の顔を真っ直ぐに見返してから、慎一は小さく舌打ちをした。

——知らないって言ってるじゃん。そんなの僕が何に使うの？

そのまま目をそらさずにいると、純江は小さく頷いて慎一に謝った。

夜のあいだ、それから何度か純江はもの問いたげな目を向けてきたが、慎一はまったく平気だった。あと半日――あと半日、誤魔化せればいい。そうすれば、ぜんぶ上手くいく。ヤドカミ様が願いを叶えてくれる。

お勝手の果物ナイフがなくなったのは、じつは昨日の夜ではなかった。純江がそれに気づいたのが夜だったというだけで、本当は朝のうちに包丁立てから消えていた。慎一が学校へ持っていき、放課後に一人で山へ登って、ヤドカミ様への供え物として岩の裏側に置いてきたのだ。そこにはまだ車の鍵が置きっぱなしになっていた。しかし、いまはもう、果物ナイフといっしょに消えているだろう。ヤドカミ様によって持ち去られているだろう。その確信が慎一にはあった。

また、窓硝子が震えた。

壁の時計を見ると、まだ午後四時を過ぎたところだ。今日に限って、なかなか時間が進んでくれない。ついこの前までは、ちょっとぼんやりしているあいだにすぐ一時間や二時間が過ぎてくれたのに。いや、今日だって、朝に家を出たと思ったら、もう担任の吉川が黒板に貼った模造紙を示しながら何か喋っていて、その様子を眺めているうちに休み時間がやってきて、それが四回繰り返され、気がついたら放課後だった。あの山の上でヤドカミ様を焼いてから、土曜日の今日が来るまでの三日間も、あっという間だった。時間の流れが急に遅くなったのは、家に帰ってきてからだ。

早く――早く夜が来ないだろうか。

早く願いが叶ってくれないだろうか。

しかし時計の秒針は、何かの間違いではないかと思うほどゆっくりと回った。苛立ちがつのり、だんだんとじっとしていることに耐えきれなくなり、慎一は座卓に両手をついて勢いよく立ち上がった。

あれから春也とは一言も口を利いていない。教室でも目さえ合わせていない。しかし、この三日間ほど、二人が互いのことを思っていたときはあっただろうか。

今夜、慎一の願いが叶ったら、今度は春也の番だ。月曜日にでも春也といっしょにあの山へ登ろう。岩の凹みには、もう何匹かヤドカリがいる。あの子供たちの、父親もいたはずだ。春也と二人で、今度はあの雄ヤドカリをあぶり出そう。あれを台座に載せて、春也に願い事を言ってもらおう。春也の願い事は何だろう。——いや、もうわかっている。父親のことだ。それ以外には考えられない。

怖くない。何も怖くない。

慎一は居間を出て、純江と二人で使っている部屋へ入った。

カーテンが引かれた西向きの窓を見る。あと何時間すれば、あのカーテンの隙間から橙色の陽が射し込んでくるだろう。あとどのくらいで、西の空が、車のハッチで初めて純江の声を聞いたときのように赤くなってくれるだろう。

畳の上に、ごろりと寝ころんでみた。とくとくと左の胸が鳴っている。仰向けになっているのに、どうしてか自分の呼吸が耳元で聞こえる気がする。もうすぐ叶う。ぜんぶ上手くいく。天井を見つめながら、慎一は腰から背中にかけて、何か弱い電気でも流れているようなぴりぴりした感覚がつづいているのを意識していた。

顔を横に向けると、白い箱が目に入った。いつの間に壁際へ寄せられたのだろう。純江が動かしたのだろうか。バットとグローブとボール。慎一は上体を起こし、尻を中心にくるりと身体を回すと、そのまま右足のかかとを勢いよく箱に叩きつけた。箱の中で硝子の砕ける感触があり、囓りつくような鋭い興奮が下腹のあたりに走った。

もうだいぶ経ったに違いない。そう思いながら慎一は、純江の鏡台に置かれた小ぶりの置き時計に目をやってみて、がっかりした。まだ四時半にもなっていない。さっきから三十分も経っていない。夜というものが本当に来るのかどうか、疑わしいような気持ちになり、慎一は長々と鼻息を吐いて立ち上がった。

押し入れの襖を開ける。上の段に、二組の布団が重ねて仕舞われている。

純江の布団に、両手で触れてみた。そのまま顔を近づけていき、柔らかい綿の感触を鼻と頬に感じながら、大きく息を吸い込んだ。胸の中に、純江の髪の匂いが広がっていく。あのヴァンの助手席にも染み込んでいた匂い。咽喉の底が痛くなるほど肺をふくらませ、ふくらませ、純江の匂いで自分をいっぱいにして、それからいったん息を吐き出すと、慎一はまた布団に顔をつけた。今度はさっきよりもゆっくりと空気を吸い込んでいく。鼻の奥も、咽喉も、胸も、腹も、背中も、手足の先までも、慎一の身体は匂いであふれた。目を閉じて、普通に呼吸してみる。顔をしっかりと布団に密着させ、すべての感覚をそこだけに集中させていると、全身に行き渡った匂いを逃がさないまま上手く息をすることができた。腰から下が綿状になっていくような、眠っているよりも心地よい感覚の中で、慎一はようやく時間を忘れられる気がした。

こうしているあいだに、自分の願いは叶う。

もうすぐ――もうすぐ。

慎一の瞼の裏には、いつしかヤドカミ様の姿が浮かんでいた。生まれてからいままで、この目で見てきたどんな映像よりも、それははっきりと見えた。停まっている車のハッチで、ヤドカミ様は歪んだ腹を横たえて、じっと息を殺している。濡れた灰色の腹をリアウィンドウ越しに照らしているのは、白い蛍光灯の光だ。あの安っぽいアーチがある建物の駐車場に、車は停められている。やがて鳴海の父親と純江が車に戻ってくる。出ていったときよりも気だるそうな動きで。一言二言、低い声で会話が交わされる。純江は助手席の背もたれに身体をあずけ、少し乱れた髪の毛に、ぼんやりと指を通す。

エンジンがかけられる。ハッチに身を横たえたヤドカミ様は、その振動を身体の片側に感じる。車は走り出す。つぎに停まるのはどこだろう。鳴海の父親が純江を助手席から降ろすのは、どこだろう。

やがて車は減速し、エンジンをかけたまま停まる。短い会話が交わされて、純江が助手席のドアを開ける。その前に、あの粘着質の音が一度か二度、聞こえるかもしれない。ハッチに潜むヤドカミ様の耳にも聞こえるかもしれない。

純江が車を離れていく。慎一が待つこの家に向かい、細い背中が路地を遠ざかっていく。

夜の中を、車はふたたび走り出す。鳴海の父親は、何かを思い出しながら満足げな顔でハンドルを握っている。ときどきにやっと唇の端を持ち上げるだろうか。その厭らしい顔の後ろで、ヤドカミ様はゆっくりと身を起こす。

冷たい腹を音もなく引き摺りながら、ヤドカミ様は後部座席を乗り越える。生臭い呼吸が、運転席のすぐ後ろへと近づいていく。しかし鳴海の父親は気づかずに前方の夜道を眺めてハンドルを握っている。ネクタイが外されたワイシャツの首元を、ヤドカミ様は背後からじっと見る。突き出したリンゴ飴のような目で、じっと見る。やがて車は信号に近づき、鳴海の父親はブレーキペダルに足を載せ替える。車が減速していく。待ちきれないというように、運転席の後ろでヤドカミ様が右のハサミを持ち上げる。車は減速をつづけ、ヤドカミ様の両目が嬉しそうに震え出し、それはまるで二倍にもふくれ上がったように見え、無数の触手でできたような口を蠢かして、ヤドカミ様は何か声を洩らす。誰にも聞こえない声を洩らす。周囲にほかの車は走っていない。前にも後ろにも、ヘッドライトは一つも見えない。信号機の手前で、車は停まる。鳴海の父親はフロントガラスの向こうを眺めている。その首筋に向かって、ヤドカミ様が静かにハサミを持ち上げていく。やがてヤドカミ様はバネのように全身をしならせ、一瞬後、銀色のハサミが素早く弧を描く。鋭い刃先がワイシャツの襟から剝き出しになった首を一気に掻き切り、短い叫び声とともに血が飛び散って——。

興奮に耐えきれず、慎一は思わず声を上げた。

布団に顔を密着させたまま、くぐもった声でつづけざまに叫んだ。嬉しくて、嬉しくてたまらなかった。両手の拳を握り締め、細かく震わせ、ときおり指をひらいては胸の前で握り合わせながら、何度も何度も声を上げた。尖って気持ちのいい痺れが身体の隅々までつづけざまに行ったり来たりした。もうすぐだ。もうすぐ叶う。いや、すでに叶っているのかもしれない。あれからどのくらい時間が過ぎてくれただろう。左右の拳を胸の前で震わせたまま、慎一は置き時計の針を確認しようとした。振り向きざま膝を曲げ、鏡台の上に置かれた時計を覗き込む。しかし慎一が時計の針を読む前に、鏡が目に入った。これは——。

これは、誰だ。

見たこともないほどのグロテスクな顔をした少年が、すぐそこから自分を睨みつけていた。頬を醜く持ち上げて、唇の隙間から歯を覗かせ、その歯のあいだに唾液の糸を引いて、黒目の縁が剝き出しになるほど両目を見ひらいて。

その顔以外のすべてのものが視界から白く掻き消え、何かの糸が断ち切られたように、慎一は無感覚に陥った。

直後、慎一の全身に摑みかかってきたものがあった。

それは純粋な恐怖だった。顎が細かく震え、咽喉の奥から無意味な声が洩れた。すると鏡の中の少年も、顎を震わせ、歯列の奥に深い穴のような咽喉をのぞかせるのだった。

混乱し、慎一は顔をそむけようとした。しかしどうしてもできない。鏡の中の少年と目を合わせたまま、少しも動くことができない。全身が激しく脈打ち、肺が縮んだように呼吸が浅くなっていき、叫び声が咽喉の下でみるみるふくらんで、いまにも咽喉を破って飛び出そうとしていた。

車のエンジン音が、玄関のすぐ外で聞こえた。

鳴海の父親のヴァンかもしれない。純江を送りに来たのかもしれない。はっとして慎一がそちらに注意を向けた瞬間、鏡の中の相手も同時に視線を外した。身体を反転させ、慎一は半開きになっていた入り口の襖を払って裸足のまま玄関を飛び出した。空は橙色に染まっている。その夕陽を受けて、何かの配達にでも来たのだろうか、一台の軽トラックが隣の家の前に停まっている。鳴海の父親のヴァンなどではなかった。

叶うはずがない。願ったことが本当になるはずなんてない。さっきまでとまったく逆のことを、慎一は思おうとした。しかし、ヤドカミ様の姿は、まるで眼球の中に埋め込まれでもしたように、依然としてはっきりと見えている。声が聞こえる。あのときの声が聞こえる。

——どうして欲しいねん。

叶うはずがない。

——ヤドカミ様に、どうして欲しいねん。

願いが本当になるはずなんてない。

自分の感情が、それまで何重にも守られていた感情が、いま胸の中で剝き出しになったのを慎一は感じた。真っ赤に爛《ただ》れ、一枚きりの薄い膜で包まれたそれは、いきなり身体の内側で恐怖の叫び声を上げた。その声は際限なく高まって慎一の耳の内側を刺し、それを追いかけるようにして慎一の口から実際の声が上がった。声は、見えない壁にぴしりと一筋の罅《ひび》を生じさせ、いままで必死で押しとどめていたものたちが、その罅の周囲を瞬時に大きく壊し、うねりながら雪崩をうって流れ出た。

　意識するより早く、慎一は玄関に駆け込んでいた。自転車の鍵を右手に握り込み、ふたたび戸外へ駆け出ると、自転車のハンドルを引き寄せ、そのまま力任せに車体を反転させてサドルに飛び乗った。空は赤さを増し、あたりはもののかたちが薄らぎはじめている。夕闇が迫る路地を全力で飛ばし、慎一は春也のアパートへと向かった。アパートの前まで行き着くと、その場に自転車を横倒しにして階段を駆け上がり、プレートに「富永」と書かれたドアまで走る。ためらうことなく慎一は呼び鈴を押した。反応はない。もう一度呼び鈴を押し、今度は返事を待たずにドアを叩いた。誰も声を返さない。ドアを開けてくれない。脇の小窓を見ると、中は暗かった。唐突に込み上げてきた涙を呑み下し、慎一は身をひるがえして階段を駆け下りた。

　倒れた自転車を起こして走り出し、最短距離で海沿いの道に出た瞬間、強い風が海から吹きつけた。身体が風下へ持っていかれ、慎一は地面を蹴って危ういところで体勢を立て直した。道の脇の街灯が、もう灯っている。それでも空が完全に暗くなる前に、慎一はなんとかガドガドまでたどり着くことができた。目の前にそびえる山は、そういうかたちに景色が切り抜かれたかと思うほど、完全な影になっていた。自転車をその場に乗り捨てて店の裏へと駆け込み、しんとした細長いスペースを走り抜けて木々のあいだへ入り込む。半開きの口から、無意味な声がつづけざまに洩れる。慎一は夢中で山道を登った。足元から風が吹きつけ、ときおり身体を持ち上げようとした。そのたび慎一は這いつくばるようにして体勢を整えた。山の向こうで、太陽はいよいよ姿を隠しつつあり、背後から忍び寄った夜が周囲を真っ暗に染めようとしている。月は昇ってくれない。それともとっくに昇っていて、雲がその姿を覆い隠しているのだろうか。だんだんと何も見えなくなっていく。慎一は行く手を振り仰いだ。山と木々の輪郭が、粗い鱗を持った巨大な生き物の背中に見えた。

何度も足を滑らせ、手や肘を擦り剥いたが、どれほどの怪我をしたのかも、血が出ているのかさえも、もう見えない。慎一は手足をがむしゃらに動かしてあの場所を目指した。息が上がり、空気を吸っても、吸っても、まだ足りない。何度か、慎一は春也の名を呼んだ。垂れ落ちる汗に混じって、鼻の脇をいつのまにか涙が流れていた。あとからあとから流れた。背後からひときわ強い風が吹きつけて、耳の中で轟々とうねった。風はそのまま山の斜面を吹き上がっていき、慎一の耳から空気のうねりが消えたその瞬間、見えない頂上で低い呻りが響いた。

叶うはずがない。

願いが本当になるはずなんてない。

あの岩の裏には、いまも果物ナイフと車の鍵が並べて置かれたままになっているはずだ。

木の根でできた階段までたどり着いたとき、不意に周囲が明るくなった。振り返ると、雲のあいだから黄色い半月が顔を出すところだった。慎一は階段を上りきり、あの場所に出た。月の光を受け、無数のヒトリシズカが白く炯《ひか》っている。その花の真ん中を突っ切るとき、また強く風が吹いた。花たちが一斉に身を倒し、細長い葉を激しく震わせた。

岩が呻る。地面全体が呻る。その呻りは地の底から慎一の両足を伝わって身体中を迸《はし》った。

呼吸とともに声を洩らしながら、慎一は岩の後ろへ駆け込んだ。

──ない。

鍵も果物ナイフもそこにはなかった。しかし、暗くて見えていないだけなのかもしれない。地面に這いつくばり、慎一は口で息をしながら岩の周辺に視線をめぐらせた。心臓が、外に出ようとして檻に体当たりを繰り返す動物のように、肋骨の内側で暴れている。頭上で月が完全に姿を現したらしく、慎一を助けるように地面を照らした。どこにもない。置いておいたはずの鍵とナイフが、どちらもない。あれは何だ。月に照らされた地面に何かが書かれているのを、慎一の目が捕らえた。文字だ。たくさんある。あれは──。

尖った刃物の先で刻まれたように、地面に無数の「ね」が並んでいた。左から右へと連続して刻まれ、ある程度まで行くと、また左からはじまって右へつづいている。あとのほうになればなるほど、字の右側が狭くなっていき、それは早くつぎの「ね」を書きたくてもどかしがっているようにも見えたし、縦の棒がどんどんきつく縛られていくようにも見えた。

土を蹴るようにして踵《きびす》を返し、慎一は岩の後ろから飛び出した。ふたたび斜面を駆け下りようとすると、太い根につま先が引っ掛かり、たたらを踏んで木の幹に左肩をぶつけた。その勢いで身体が反転し、視界の中をぐるりと月が回り、直後、背中に硬い衝撃が走った。肺の中の空気が短い声とともに口から叩き出され、すぐさま慎一は起き上がろうとしたが、その瞬間、歯のあいだから叫びを洩らして地面にうつぶせた。背中の右側、肩胛骨《けんこうこつ》の下あたりに刃物で抉《えぐ》られたような痛みがあった。仰向けに倒れ込んだとき、尖った石にでもやられたらしい。歯を食いしばり、額を地面に押しつけるようにして、慎一は最初の激しい痛みが過ぎ去るのを待った。それから、さっきよりももっと大きな叫びを発し、両手で地面を押し出すようにして上体を起こした。もう間に合わない。いま何時だろう。家を出てからどれくらい時間が経ってしまったのだろう。願いが叶ってしまう。ヤドカミ様が願いを叶えてしまう。頭上を覆う木々の枝が、夜空に生じた無数の亀裂に見えた。

四つ足の動物が跳ね上がるように、慎一は身体に勢いをつけて立ち上がると、そのまま絶対に地面に手をつかないよう、顎を上げ、背中に渾身の力をこめて斜面を駆け下りた。追いかけてくるような痛みを、感じまい、感じまいとし、ほとんど手探りで木の幹や大きな岩を避けながら山を下った。月はふたたび雲に隠れ、目の前に広がる海は巨大な黒い穴だった。壁のような風が正面から断続的に迫ってくる。甲高い悲鳴に似た音を立てながら、風は枝のあいだで千切れ、山全体の葉が化け物の叫び声のように一斉に鳴った。自分の呼吸も足音も聞こえない。目を開けていることもできない。何度も、慎一は足元を過《あやま》って坂道に膝をつき、手をつき、肩をぶつけた。そのたび必死に起き上がり、ひたすら山の下を目指した。やがて木々のあいだから海沿いの道の街灯がのぞき、慎一はガドガドの裏に躍り出た。

足を止めず、店の脇を抜けて駐車場を突っ切る。倒れている自転車を引き起こし、そのままの勢いでペダルを踏みつける。息が苦しい。肺の中が真っ白になっていく。腹に氷の塊を詰め込まれ、その冷たさが全身に行き渡ってしまったように手足の感覚がなかった。海から吹きつける烈風に何度も自転車を流されながら、慎一は左右のペダルを踏みつづけた。ヤドカミ様。灰色の腹を横倒しにして、じっとうずくまっているヤドカミ様。右のハサミが月光を冷たく撥《は》ね返し、ばらばらの方向に突き出した二つの丸い目が嬉しげに蠢いている。触手が集まったような口がもごもごと動き、離れた場所にいる慎一に言葉を聞かせようとしている。叶えてやる。もうすぐ叶えてやる。

前方からやってきた一台の車が、慎一の脇を走り過ぎた。

直前まで二つのヘッドライトしか見えておらず、ちょうど街灯と街灯のあいだだったので、どんな車なのかはわからなかった。しかし慎一の両手は反射的に動き、左右のブレーキレバーを握り込んだ。車輪が悲鳴を上げ、横滑りしながら自転車は停まった。振り返る。先ほどの車が街灯の下を突き抜けていくその一瞬、慎一は車の屋根にルーフキャリアを見た。しかし、あの車だろうか。似ているだけで、まったく別の車かもしれない。いや、その可能性のほうがずっと高い。

迷っている暇はなかった。慎一は自転車を反転させ、ルーフキャリアのついたその車を追いかけた。赤いテールランプはぐんぐん慎一を引き離していく。追いつけるはずもない。悔しくて、怖くて、慎一は声を上げながらペダルをこいだ。しかしテールランプはどんどん遠ざかり、とうとう行く手の闇に消えた。それでも慎一は自転車を飛ばしつづけた。全身を風になぶられながら、精一杯の力でハンドルを握り、ほとんど感覚が消えている両足でペダルを踏んだ。ふたたびガドガドの前を過ぎる。車の姿は見えてこない。角を曲がったのだろうか。やはりあれはまったく関係のない車だったのか。このまま進んでいくと、慎一の家のほうへとつづく路地に行き着いてしまう。そこを曲がったほうがいいのか。それとも通り越して、さらに先へ行ったほうがいいのか。あるいは引き返し、以前に鳴海の父親が車を停めていた場所や、その先にあるあの建物へ向かったほうがいいのか。どうしていいかわからず、顎を上げて前方を睨みつけたそのとき、足の下で突然ペダルの抵抗がなくなった。空気を蹴っているように、左右の足がくるくると回りはじめた。

チェーンが外れたのだ。

転げるようにして地面にばたばたと両足をつき、慎一は自転車を降りた。ペダルの脇に屈み込み、外れたチェーンに手を伸ばし——そのとき道の先に、何か見た気がした。

慎一は素早く前方に向き直った。

テールランプだ。道のずっと先に、赤いテールランプがぽつんと見えている。動いていない。車は停まっている。自転車をその場に捨てて慎一は走り出した。

テールランプの赤い光は徐々にはっきりと見えてきて、さらに走りつづけていると、一台の車が道の左側に車体を寄せて停まっているのがわかった。そばにある街灯が、車とその周囲をぼんやりと白く照らしている。車にはルーフキャリアがついている。全体のかたちも、あのヴァンに似ている。無茶苦茶に呼吸しながら、慎一は全速力でさらに走った。車の左側に、細い人影が立った。

純江だった。

助手席から降りてきた純江は、車の中から声をかけられたようで、風に煽られる髪を片手で押さえながら、ウィンドウに顔を近づけて何か声を返している。

間に合った。

いまにもその場にへたりこみそうな身体を必死で動かし、慎一は車に向かって走りつづけた。純江が一歩後退して車から離れた。車は頭を右へ振り、そのまま道路を横向きに塞《ふさ》ぐようにして停まったかと思うと、今度は徐々にフロント部分をこちらへ向けるかたちでバックしていった。円錐状にはっきりと見えるヘッドライトの光が、だんだんと慎一のほうを向き、一瞬、まともに顔を射た。Uターンを終えた車は、こちらへ向かって走り出そうとしていた。

いま、あの車には鳴海の父親だけが乗っている。いや、ハッチにもう一人いる。右のハサミを白く光らせたヤドカミ様がいる。

停まって！——慎一は夢中で叫んだが、風の咆吼が声を掻き消した。車は徐々にスピードを上げながら向かってくる。停まって！——もう一度叫んでも同じことだった。お母さん！　膝が震える。両手の拳を握り締め、慎一はつづけざまに声を上げた。お母さん！

「……春也！」

ヘッドライトはぐんぐん近づいてくる。もうすぐ慎一の脇を過ぎ、背後の闇へ消えていこうとしている。

もう、いましかなかった。

あのヘッドライトが自分の横を通り過ぎてしまった瞬間、すべてが手遅れになることを慎一は知っていた。

いましかない。

目を閉じ、慎一は近づいてくるヘッドライトの正面に叫び声を上げながら飛び出した。悲鳴のようなブレーキの音が空気を引き裂き、瞼の向こうが真っ白に光った。慎一の全身に、それまで感じたことも、想像したことさえないほどの衝撃が走り、両足の下から地面が消えた。そのとき自分が目を開けていたのかどうか、わからない。いくつかの光が目の中を回った。闇も回転した。慎一はもう一度、全身に強い衝撃を感じた。

何か、聞こえた気がする。

男の人の声。必死に言葉を発している。そして、別の声。

「……慎ちゃん！」

お母さん。

「……慎ちゃん！」

たぶん、そうだった。

視界の中に、うっすらと光が戻ってきた。しかし、まだよく見えない。気を抜くと、その瞬間にすべてがふたたび消えてしまいそうになる。全身の感覚がない。車がひどい勢いでぶつかったはずなのに、身体のどこにも、何も感じない。波の音。目の前は白くて眩しい光で覆われている。これはヘッドライトだろうか。その白い光のずっと上に、薄黄色の半月が見えた。暗い、水底のような空の真ん中に浮かんでいる。二人の声がだんだんと、閉じ込められるように小さくなっていった。また、視界がかすみはじめ、白い光と半月が遠ざかった。やがて、目に映るものがすべて完全に消え去ろうとし、その直前――。

自分の傍らに膝をつく二人の背後に、慎一は、何かの影を見た。

ぎくしゃくと、不器用に動いている。

動きながら、後ずさりするように遠ざかっていく。

片手の先で――いや、あれは脚だろうか――細長い三角形のものが、きらりと月明かりを撥ね返した。

やがて、影は何かを諦めたように背中を向けた。

ぎくしゃくと、ぎくしゃくと、海のほうへ向かってゆっくりと遠ざかっていく。

それが、慎一が憶えている最後の光景だった。視界は完全な闇に呑まれ、声も音も、みんな消えた。

終章

「——麦茶は？」

紙袋から水筒を出した純江に、慎一は首を振った。

「いまはいい」

純江は頷いて、水筒をまた足元の紙袋に戻す。母の顔つきや仕草は、あれから急に、痛々しいほど疲れたものに変わった。

明日から、またもとに戻るだろうか。それとも、ずっとこのままなのだろうか。

「遅くなっちゃったわね。向こうに着くの、何時になるかしら」

口の中で曖昧な返事をし、慎一は窓の外に目をやった。駅に向かうバスは海沿いの道を走っていて、一面に広がった海は徐々に近づいてくる夕闇を受け容れようとしている。

夏の盛りが終わり、まだ暑い日こそつづいているが、砂浜も岩場も疲れ切ったようにしんとしていた。通路を挟んで反対側の窓から見える町並みも、活気が薄らいでいる。

「四十九日って何？」

海を眺めたまま訊くと、返事が聞こえてくるまで少し間があった。

「ちゃんとしたことは、お母さんも知らないの」

「みんな、よく知らないものなの？」

「どうなのかしら……」

知らないことでも、あんなにみんな、それらしい顔をしていられるものなのだろうか。僧侶の手の動きから、お経の意味から、何でもわかっているという顔をしていられるものなのだろうか。昭三の四十九日の法要で見た親戚たちの顔を頭の隅にめぐらせながら、慎一は何か湿った、かたちのないものが咽喉につっかえているような思いがした。

親族だけで行った通夜や告別式で、純江以外に泣いている人はほとんどいなかった。昭三の痩せた身体が火葬炉に入っていくとき、何人かがすすり泣いただけだった。家で行われた四十九日の法要では、もう誰も涙を見せなくなっていた。親戚たちはそれぞれ世間話や昔話をし、笑ったり相手の肩を叩いたりして、袈裟を着た僧侶が到着したときだけ、急に背筋を伸ばして深刻そうな顔をした。

慎一も、一度も泣かなかった。

昭三が病院で息を引き取ったときでさえ泣かなかった。――あれは純江から、はっきりとした言い方ではなかったにしても、昭三がもう長くないことを聞いていたからだろうか。それとも、死ぬ直前に祖父が病室で最後に言っていたことが、頭の中で繰り返されていたからだろうか。

横浜の病院で昭三が死んだのは、長かった梅雨の終わりだった。あとで思い出したら、あの日が最後の雨で、それからずっと晴れの日がつづき、やがてテレビのニュースで梅雨明けが報じられた。

医者の予想を上回るペースで血の塊がふくらんで、脳を圧迫しはじめたらしい。昭三はその数日前から、ときおり急に目が宙をさまよって、何も言葉を発しなくなったり、そうかと思えば意味のわからないことを口走るようになっていた。それでも意識がはっきりしているときは、最後の最後まで、治りきっていない慎一の身体を心配していた。

——右見て左見て、もういっぺん右見て渡れって教えたろうが。

道路を渡ろうとしたら、走ってきた車にぶつかったのだと、昭三には話してあった。慎一はあの夜、救急車で病院に運ばれたが、全身打撲はひどかったものの、幸いにも骨はどこも折れておらず、念のために調べた脳にも異常はなかった。

——こんだ気をつけろ。

——わかってる。

——約束だぞ。

約束という言葉が、慎一の胸に鈍い痛みを走らせた。何か言おうと言葉を探していると、昭三は自分が叱ったことで慎一を怖がらせてしまったと思ったのか、ベッドの上に半身を起こした恰好で、急に笑いかけてきた。目尻にくっきりと皺が刻まれたその顔は、あれは小学一年生のときだったか、慎一が両親とともに昭三の家に遊びに来て、畳に腹ばいになって画用紙に描いた「おじいちゃんのかお」に、よく似ている気がした。慎一が笑い返した直後、昭三はまた意識を途切れさせ、芯のぼやけた目を何もない場所へ向けたまま言葉を発しなくなった。首の後ろ側に、木の節のような骨が浮き出して、静かにうつむいたその様子は、ずっと前からそこに生えている一本の木のように見えた。

最後の日、窓の外に雨音を聞きながら慎一がベッドの脇に座っていると、それまで眠っていた昭三が急に薄く目をひらき、おかしなことを口にした。

病室の天井を眺めながら、今日は月が明るいと言ったのだ。

慎一は昭三の目を追って上を見た。もちろん月などない。蛍光灯も、ベッドの真上には取り付けられていない。そこにはただ、白くて平たい天井があるだけだった。

——今日はなあ……慎一。

痰の絡んだ声で昭三が何か言おうとしたので、慎一は立ち上がって顔を近づけた。しかし昭三はそこに慎一がいることを、よくわかっていないようだった。話しかけていた相手は、別の慎一だったのかもしれない。

——今日の蟹は、食うんじゃねえぞ。

——蟹？

訊き返したその声も、たぶん昭三には届いていなかった。

——月夜の蟹は、駄目なんだ。食っても、ぜんぜん美味くねえんだ。

——どうして？

答えが返ってくることは期待していなかったが、慎一は訊ねずにはいられなかった。昭三が自分を見ていなくても。そこにいることさえわかっていなくても。

——昔っから、そう言うんだよ。

昭三の中の慎一も同じことを訊いたのか、昭三は慎一の問いかけに答えるかたちで声を返した。

——月の光がな、上から射して……海の底に……蟹の影が映ってな。

咽喉の奥から、濡れたものを引き摺るような呼吸音が聞こえていた。歯のあいだに唾液の糸を引きながら、昭三は夢見るように教えてくれた。

——その自分の影が、あんまり醜いもんだから……蟹は、おっかなくて身を縮こませちまう……だからな、月夜の蟹はな……。

そこまで言って、昭三は眠りに落ちた。乾いた唇はほんの少しだけ隙間を残して閉じられた。そのまわりに生えた短くて白い髭が、一本一本はっきりと見え、祖父の顔はどこかつくりもののようだった。数分後、病室の外で何か話していた純江と担当医が戻ってきたちょうどそのとき、昭三はまた目を開けて、両手をのろのろと持ち上げた。上から何か膜のようなものが降りてきて、それをどけようとしているように、顔の前に持ち上げた腕を昭三は左右に動かした。

そして、その日の夜に死んだ。

みんな自分に返ってくるのだと、鳴海が晩ご飯を食べに来たあの夜、昭三は言っていた。死んでいくとき、祖父の脳裡にその言葉はよぎっただろうか。それとも、もう何を思うこともなく、意識は途切れたのだろうか。

昭三の身体が焼かれ、白い壺に入れられて家に戻ってきた数日後、福島県にある純江の実家から連絡があった。いっしょに暮らそうという話だった。純江の働き口も用意できるからと。それが提案ではなく、なんとしても相手に首を縦に振らせようという覚悟のもとにかけられてきた電話だということが、対応する純江の声や横顔からわかった。

今日で夏休みが終わり、明日から新学期がはじまる。

慎一は新しい学校で、初めての登校をすることになる。

昭三の家はまだ引き払ったわけではなく、しばらくは純江が家賃を払いながら、そのままにしておくらしい。純江が休日にこちらへ来て、掃除をしたり、親戚と協力し合って昭三の遺品を整理したりすることになっていた。そうやってここと福島県とを行き来しつつ、折を見て母がこの海辺の町から遠ざかるつもりでいることに慎一は気がついていた。もちろん、はっきりとそう言われたわけではない。しかし、とにかく慎一は気づいていたし、純江もたぶん、慎一が気づいているということに気づいていた。

鳴海の父親と純江とのあいだでは、あれからやはり何か話し合いのようなものがあったのだろうか。どんな結論が出たのか、あるいは出なかったのか、慎一は知らない。知っても仕方がない。

もうすぐ駅に着く。この町をあとにする時間が近づいている。

車にぶつかったときの傷や打撲は、もうすっかり治っていた。しかし慎一は、胸の奥の、レントゲンでも写らない場所に、あれからずっと消えない痛みを感じていた。それは、かえしのついた釣り針を、力任せに引き抜いた痛みだったのかもしれない。抜くのが厭だから、怖いから、もっと奥へ奥へと刺し込んでしまい、しまいには命がけでしか取り去ることができなくなってしまった、あの針の痛みだったのかもしれない。

慎一が自分の車にぶつかったことを、鳴海の父親は娘に話していないらしい。学校で顔を合わせても、鳴海は交通事故に遭った慎一の身体を心配してくれはしたが、父親の話は出なかった。

バスが減速し、駅の小さなロータリーで停車する。よく聞き取れない運転手のアナウンスがあって、大げさな音とともに前後のドアがひらかれた。

「お母さん、いまから切符買ってくるけど――」

「ここにいる。荷物見てる」

純江はハンドバッグだけを持って駅舎の窓口のほうへ歩いていった。それを見送っていると、

「利根くん」

急に、背後から呼びかけられた。

こちらに向かって鳴海が歩いてくる。今日の午後に町を発つことは話してあったが、どうしてこのバスに乗っているのを知っていたのだろう。

「ずっといたの。待ってたの」

訊ねる前に鳴海が答えた。彼女の肩越し、大きな公孫樹《いちょう》の幹を囲むように木のベンチが四角く並べてあり、そのそばに鳴海のロードバイクが置かれている。

「けっこう遅かったね」

「支度が、いろいろ大変だったから」

「電車、すぐ来ちゃう?」

鳴海は金網の向こうにあるホームを見た。

「わからない。訊いてくる」

「あたし、向こうのお店の裏にいるから。ちょっとだけでも、もし時間があったら来て。なかったら、そのまま乗っちゃっていいよ」

言うなり、鳴海は駅舎に併設されている小さな食事処のほうへ歩いていってしまった。

慎一は窓口へと走り、ちょうど駅員から切符を受け取っていた純江に電車の発着時刻を訊いた。二人の乗る特急は、あと十五分ほどで到着するらしい。

「先に、ホームで待っててもらってもいい？」

「いいけど、でも」

鳴海が、と言いかけて慎一は言葉を呑んだ。

「友達が、来てくれてて」

頷きながら、純江は慎一の背後に目をやった。慎一も振り返ったが、鳴海の姿はもうそこからは見えなくなっていた。

「荷物、お母さんの分だけ持ってってといて。自分のは、あとで自分で持ってく」

慎一は純江から電車の切符をもらってバスの停留所まで戻ると、通学に使っていたスポーツバッグを摑んで食事処の裏へ向かった。バッグは、教科書や文房具や、夏休みに入る前の「お別れ会」でクラスメイトたちがくれた、たぶん白々しい手紙でふくれている。手紙は、まだどれも読んでいなかった。

食事処の裏へ回ると、白いペンキの壁に寄りかかっていた鳴海が、壁から背中を離して気遣わしげな微笑を向けた。

「――平気だったの？」

十分ちょっとなら大丈夫と答え、慎一は鳴海と向き合った。

「この前の利根くんの怪我」

いきなり言われた。

「あれ、お父さんの車にぶつかったんだよね」

慎一は驚いた。どうやら鳴海の父親は、そのことを話していたらしい。

どこまで、鳴海は知っているのだろう。

慎一が答えないでいると、鳴海はまた壁に背中をあずけ、顔だけこちらへ向けてつづけた。

「夏休みに入ってから聞いたの。お父さん、自分がぼんやりしてて、歩道に乗り上げたんだって言ってた。それで、偶然そこを歩いてた利根くんのことを轢いちゃったんだって」

すぐそばの植え込みで、コオロギが鳴いていた。それを聞きながら慎一は、頷くことも、首を横に振ることもせず、ただ唇を結んでいた。鳴海はしばらく慎一の顔を見つめていたが、やがて訊いた。

「……ほんとなの？」

よく憶えていないと、顔をそむけながら慎一は答えた。まだ、鳴海の目がじっと自分の顔に向けられているのがわかった。しかしそのうち、諦めるような短い吐息が聞こえ、穏やかな笑いの混じった声がつづいた。

「利根くんは、お父さんのことが厭だったんだよね」

思わず鳴海に顔を戻した。

「だから、車にぶつかってやろうって思ったんだよね」

「何で、そんなふうに思うの？」

「だって、あたしのお父さんが会ってたのって、やっぱり利根くんのお母さんだったんでしょ？」

父親が、そう言ったのだろうか。そこまで話したのだろうか。

慎一が答えないでいると、鳴海は顔に笑みを浮かべて言った。

「まあいいや、もう時間ないし」

その笑みは、いまにも壊れそうだった。

「あたしね、ほんとはずっとわかってたんだ。お父さんが会ってる相手が利根くんのお母さんだってこと。前に利根くんに、いつかの土曜日のこと訊いたの憶えてるでしょ。利根くんの家では何してたって。あのとき利根くん、お母さんも家にいたって言ってたけど、あれが嘘だってこともわかってた。だって、顔見ればわかるよそんなの。でも、わかってて知らないふりしてたの。そうしようって決めたの」

どうして、と慎一は訊こうとしたが、様々な思いに咽喉をふさがれ、声が出てこなかった。

しかし鳴海は答えを教えてくれた。

「そのほうが、大人だと思ったから」

言ってから、鳴海の顔から笑みが消えた。

「お父さんと利根くんのお母さんのことも、ずっと知らないふりしてようって思った。お父さんが誰か女の人を好きになることがあっても、それはべつに悪いことじゃないでしょ？　お母さんが死んでから、もう十年も経ってるんだし。だから、知らないふりをつづけて、いつかお父さんが打ち明けてくれたら、そのときは応援してあげるつもりでいた。でも、利根くんが引っ越すことになって、そのとき初めて、自分がぜんぜん大人になれてなかったってわかった」

「……どうして？」

ようやく、声が出た。

「ほっとしたから」

鳴海は目を細めてまた笑い、それと同時に鼻の脇を涙が伝った。

「利根くんがいなくなっちゃうのは残念だったけど、利根くんのお母さんがいなくなるって知って、あたし、ほっとしたの。お父さんが、また自分のところに戻ってきてくれるって思って」

言葉をつづけているうちに、目は笑っているのに、その目から涙がどんどん溢れてきた。ぽろぽろと頬を伝い、半分は顎の先から落ちて、半分は首を伝ってTシャツの布地に染み込んでいった。

「大人になるのって、ほんと難しいよ」

ほとんど泣き声で、鳴海は最後にそう言った。

鳴海との会話はそれで終わった。二人で食事処の裏から出て駅舎へと歩き、慎一だけが改札口に向かった。途中で振り返ると、鳴海は頬を少しだけ持ち上げて、肩口で手を振っていた。慎一も手を振り返した。特急の到着時刻が近づき、駅前は人が多くなっていて、二人のあいだを何人かの大人たちが行き交った。やがて、鳴海の姿はその向こうに見えなくなった。

どこかの寺で、鐘が鳴った。

バッグを背負い直し、慎一はスーツを着た四、五人の大人の後ろについて改札口を抜けた。ちょうど、特急電車が滑り込んでくるところで、ホームの端に立っていた純江が慎一を見つけ、旅行バッグと紙袋の持ち手を握りながら、ほっとしたような顔をした。

電車はそれほど混んでおらず、二人掛けの座席に並んで座ることができた。慎一は窓際の席へ座ったので、窓の向こうに、うつ伏せたように静かな夕暮れの海が見えた。

ドアが一斉に閉まり、電車が走り出す。海はそのままで、手前の町並みだけがどんどん右へ向かって流れていく。しかしやがて、海もゆっくりと動きはじめ、夕闇に姿を隠しながら遠ざかっていった。

「……友達から、もらったの？」

慎一がバッグから封筒を取り出すと、純江が訊いた。

「そう、もらった」

短く答え、慎一は封筒を開けて、純江から見えないように手紙をひらいた。それは「お別れ会」でもらったクラスメイトからの手紙の中の二通で、電車の中で読むつもりでバッグの一番上に入れておいたものだった。

鳴海の手紙は、転校していく友達に宛てた、当たり前の内容のもので、何も変わったことは書かれていなかった。それはだいたい予想していたことだったので、慎一は二度繰り返して読んだだけで、すぐに封筒へ戻した。

春也の手紙はもう少し長かった。海で遊んで楽しかったこと、ブラックホールでいろいろなものを捕まえて楽しかったこと、慎一の家で晩ご飯を食べて楽しかったこと。生真面目に綴られた丁寧な字で、一枚の手紙の中に五度も『楽しかった』と繰り返してあり、しかしあの山やヤドカリのことは何も書かれていなかった。最後に一言、『早くよくなってください』と、慎一の怪我を心配する言葉が、余ってしまった白い部分を埋めようとするように付け加えられていた。

あの夜、路面に倒れたまま見た奇妙な生き物の姿を、あれから慎一は何度も思った。遠ざかっていったあの影は春也だった——はじめは決まって、そう考える。それから、どうしてか、あれは春也ではなく自分だったのだという奇妙な思いが浮かんでくる。そして最後にはいつも、本当は何も見てなどいなかった、あれは見間違いだったのだと、無理やり結論づけて自分を納得させる。

あれから春也とは、学校で顔を合わせれば口を利いたが、いつもほんの短い会話だった。何を話していいのかわからないのだ。慎一の怪我や、あの夜のことについては、まるで固く約束したように、どちらも何も言わなかった。放課後をいっしょに過ごすことも、もう一度もなかった。

ただ、あるとき放課後に学校を出ようとすると、校門で春也が待っていたことがあった。以前のように肩を並べ、しかし会話はつづかないまま、二人は海沿いの道を歩いた。

そのとき、いきなり言われた。

――岩の裏でな、俺、ナイフ見つけてん。

大したことのない思い出話でも語るような口調だった。

――あれ、お前が事故に遭うた日やったかな。一人で山に登ったらな、何でかしらんけどナイフが落ちててん、岩の裏に。

言葉を返せず、慎一はただ黙って春也の隣を歩いた。

――ええもん見つけたと思って、俺、そのナイフ持って帰ってな、ずっと考えとったことやったった。

――ずっと……考えてたこと？

――俺、親父を殺そうと思っててん。ずっと前から。

思わず足を止めた。春也は慎一のシャツを引っ張り、また隣を歩かせた。

――大丈夫やて、そんな顔せえへんでも。ほんまに殺してたら、俺いま、こんなところにおれへんやろ。

思い出すような顔でしばらく宙を眺めてから、春也はつづけた。

――俺な、拾ったナイフ持って、仕事から帰ってきた親父にいきなり飛びかかってん。ぶっ殺してやるいうて。もう我慢できないいうて。俺、ほんまに殺すつもりやってんで。でもな、そのとき親父、どうしたと思う？

慎一は答えず、言葉のつづきを待った。

――笑いよってん。ほっぺた震わせて、歯ぁがくがくいわせながら、むっちゃ気色悪い顔で笑いよってん。そんでな、こんなこと言うねん。なんやお前、本気にしてたんかって。俺がお前のこと殴ったり蹴ったりしとったの、本気にしてたんかって。あんなのみんな冗談やんけって。そんな親父見とったらな、俺もう、どうでもよくなってもうた。

ナイフも、その場で刃をつぶして翌日の燃えないゴミに出してしまったと春也は言った。

――それから親父、俺のこと完全にびびっとってな、目が合うただけでも、変な笑い浮かべるようになったわ。手ぇ出したり、足出したりなんて、あれもう絶対できひんのやろな。一生できひんと思うで。

春也は顎を上げて空を眺め、大きく伸びをした。

そして、そのまま随分長いこと黙っていたかと思うと、

――大人も、弱いもんやな。

それがどうしようもなく哀しいことであるような声で言った。

――俺、いつか親父に言うたろう思ってんねん。しゃんとせいいうて、どやしつけたろう思ってんねん。いまはまだ、ちょっと親父のこと怖いねんけどな、そのうちぜったい俺言うたるわ。どやしつけたるわ。

そう話すあいだ、春也は空ばかり見て、一度も慎一に顔を向けなかった。

春也と長く話したのは、それが最後だ。

岩の裏で見つけた果物ナイフを持って、春也が父親に飛びかかったというのは、慎一が鳴海

の父親の車にぶつかる前だったのだろうか。それとも、あとだったのか。春也は、肝心なところを言わなかった。前だったとしたら、あの夜慎一が見た、暗い道路を遠ざかる影は、何かの見間違いということになる。あとだったとしたら、やはりあの影は春也で、そのあとに春也の家でそういう出来事が起きたと考えることができる。

しかし、それを確かめたところで、もう何の意味もない。

窓の外はだんだんと暗くなり、やがて慎一の横に四角い夜が広がった。硝子に映る自分の顔をしばらく眺めてから、慎一は目を閉じた。電車に乗り込む直前、どこかの寺で鳴らされた鐘の音が、虚ろな反響をともなって、耳の奥でふたたび鳴り響いた。それはどこの寺でも鳴らされる、聞き慣れたはずの鐘の音だった。しかし、いまこうして耳によみがえるその音は、誰かが長い長い声を上げて泣いているように慎一には聞こえるのだった。

瞼の内側で、理由のわからない涙がふくらんだ。

気がつけば慎一は、声を抑えて泣いていた。

純江が慎一の背中を抱き寄せ、自分の頭を慎一の頭に押しつけるようにして、子供のような言い方で何度も謝った。慎一は何を言おうとしても言葉にならず、ただただ首を横に振りつづけることしかできなかった。

初出　「別册文藝春秋」二〇〇九年十一月号〜二〇一〇年七月号

著者プロフィール
1975年生まれ。2004年『背の眼』で第5回ホラーサスペンス大賞特別賞を受賞しデビュー。07年『シャドウ』で第7回本格ミステリ大賞を受賞。09年『カラスの親指』で第62回日本推理作家協会賞長編及び連作短編集部門を受賞。10年『龍神の雨』で第12回大藪春彦賞、『光媒の花』で第23回山本周五郎賞を受賞。ミステリーにとどまらず、ジャンルを超えた活躍で常に注目を集める。
『向日葵の咲かない夏』『骸の爪』『片眼の猿』『ソロモンの犬』『ラットマン』『鬼の跫音《あしおと》』『花と流れ星』『球体の蛇』『月の恋人』のほか、エッセイ集『プロムナード』など著書多数。

月《つき》と蟹《かに》

2010年9月15日　第1刷発行
2011年1月20日　第2刷発行

著　者　道尾《みちお》秀介《しゅうすけ》
発行者　庄野音比古
発行所　株式会社文藝春秋
〒102-8008　東京都千代田区紀尾井町3-23
電話　03-3265-1211㈹
印刷所　凸版印刷
製本所　加藤製本

万一、落丁・乱丁の場合は送料小社負担でお取替えいたします。
小社製作部宛、お送りください。定価はカバーに表示してあります。

ISBN 978-4-16-329560-2